Екатерина **Вильмонт**

Нашла себе блондина!

АСТ • Астрель
Москва

УДК 821.161.1-31
ББК 84(2Рос=Рус)6-44
В46

Подписано в печать 10.06.08. Формат 70x90/32.
Гарнитура «Гарамонд». Усл. печ.л. 9,9.
С.: ПС (м). Тираж 12 000 экз. Заказ № 6486
С.: Бабск. истор.(м). Доп. тираж 15 000 экз. Заказ № 6484
С.: Совр. женщ. (м). Тираж 15 000 экз. Заказ № 6487

Общероссийский классификатор продукции
ОК-005-93, том 2; 953000 – книги, брошюры

Санитарно-эпидемиологическое заключение
№ 77.99.60.953.Д.007027.06.07 от 20.06.2007 г.

Вильмонт, Е. Н.

В46 Нашла себе блондина! : [роман] / Екатерина Вильмонт. — М.: Астрель: АСТ, 2008. — 269, [3] с.

ISBN 978-5-17-021334-4 (АСТ)(Бабск. истор.)
ISBN 978-5-271-07740-1 (Астрель)
Компьютерный дизайн *Пашковой Н.В.*

ISBN 978-5-17-056057-8 (АСТ)(Совр. женщ. (м))
ISBN 978-5-271-22184-2 (Астрель)
Разработка серии и компьютерный дизайн
дизайн-студии «Графит»

ISBN 978-5-17-056056-1 (АСТ)(ПС (м))
ISBN 978-5-271-22183-5 (Астрель)
Разработка серии *дизайн-студии «Дикобраз»*

Еще раз о любви. О том восхитительном, всегда новом, радостном чувстве, которое дарит нам порой судьба, – новый роман Екатерины Вильмонт.

Она – студентка, он – маститый сценарист. Она юна, у нее впереди целая жизнь. А у него – годы за плечами, опостылевшая семья и душевный кризис. Что их связывает? Зачем нужны им такие сложные, запутанные отношения? Только любовь сможет дать ответ, только время все расставит по своим местам...

УДК 821.161.1-31
ББК 84(2Рос=Рус)6-44

Часть первая
ЗАМУЖ ХОЧУ!

Глава 1
ТАНЬКА

— Эх, знали бы вы, как я мечтала выйти замуж уже с четырех лет! Спросите, почему? Потому что бабка моя, когда я чего-то хотела, давала мне подзатыльник и ворчала: «Вот замуж выйдешь, тогда и будешь хотеть!» Так что сами понимаете! А когда подросла немного, то мечтала не просто выйти замуж, а непременно за геолога! Уж если не за дядю Яшу, то хоть за какого-нибудь! Потому что если было в жизни что-то хорошее, интересное, это всегда было связано с геологами. Я должна объяснить? Ладно, слушайте!

Я выросла в поселке со странным названием Кусьё-Александровский Горнозаводского района Пермской области, на реке Чусовой, на улице Углежжения. Знаете, что это такое? Там раньше жили углежоги. Правда, когда я родилась, никаких углежогов уже и в помине не было. Сам поселок стоял на одной стороне реки, а наша улица располагалась на другой. За ней начинался лес, в лесу даже медведи встречались, а уж грибов... Дома на улице Углежжения были деревенские, крепкие, с крытыми дворами, а поленницы складывали за воротами, никто дров не воровал, некому вроде... Да и домов — раз два и обчелся, некоторые и вовсе заколоченные стояли. Детей на улице двое было, я да Женька, на три года меня старше, он со мной водиться не желал, все норовил за речку, к большим ребятам бегать. Теперь-то, кое-что в жизни повидав, понимаю я, что убожество в поселке жуткое было — пятиэтажки сраные, пылюга, не то что на нашей улице, а тогда казалось: за речкой настоящая жизнь. Правда, бабка говорила: за речку пойдешь, я тебе такую трепку задам, до свадьбы не заживет... Рука у бабки тяжелая была, и слово она свое всегда держала.

Вообще, бабка моя суровая была женщина, да и некогда ей было со мной лялькаться, на ней одной какое хозяйство держалось, люди просто диву давались! Две коровы, козы, куры, гуси, овцы, огород и даже пасека небольшая, а еще лошадь по кличке Жиган... И со всем этим бабка управлялась в одиночку. Родители мои на Север подались, за длинным рублем. Я с ранней весны до поздней осени одна гоняла по улице, домой только поесть забегала, а уж материлась, как последний забулдыга. Мне лет пять, наверное, было, когда приехали геологи, они один из двух наших домов, родителей моих, сняли. Вы спросите, мы богатые были? Нет, мы из кулаков... Бабка моя кулацкая дочка, с Украины они в Пермскую область как раскулаченные попали, а колхозов там, почитай, и не было, кругом одни лагеря... Ну, к тому времени, когда я родилась, лагерей уж поменьше стало, людям некоторое послабление вышло, вот бабка моя и завела хозяйство, душеньку свою кулацкую потешить, как папка мой говаривал.

Умела работать старуха, ничего не скажешь. Я тоже работать умею, только сельское хозяйство не по мне. Я в детстве мечтала геологом стать, да вот жизнь по-другому распорядилась. Так о чем это я? Ах да, о геологах... Приехала к нам в поселок геологическая партия из Москвы. Наверное, к нам и раньше геологи приезжали, только я-то не помню. Было их человек десять, наверное, да, точно, семь мужиков и три женщины. Вот говорят, любви все возрасты покорны. Точно! Уж на что я сопливка была, а сразу влюбилась! В главного ихнего, дядю Яшу... Начальник партии, так он назывался. Он красивый был, или мне казалось? Но таких я раньше никогда не видела. Волосы черные, борода темно-рыжая, а глаза голубые! И разговаривал он негромко так, даже ругался, не повышая голоса, даже матерился. У него это красиво получалось.

Только он на меня внимания не обращал почти, так, иногда, мимоходом, по голове погладит или конфетку сунет, и все. А вот шофера больше всех со мной возились, как сейчас помню, одного Толькой звали, другого Витькой. Хорошие парни были, добрые. Женщины мной куда меньше занимались. Одна, повариха, целый день крутилась, ей некогда было, другая, пожилая, профессорша, все книжки читала, а третья в маршруты ходила с мужиками. Хотя нет, там еще одна женщина была, ее тоже Таней звали, как меня. Неприятная, злая, все норовила нажаловаться на кого-нибудь дяде Яше. Ее не любили все, помню, я как-то на речке услыхала, она одному из шоферов жаловалась на повариху: «Нет, ты подумай, целую кастрюлю макарон собакам скормила! Разве ж это нормально?» А Толька отвечает: «А чего? У нас уж с этих макарон сердце болит, а собакам все одно жрать надо!»

Я забыла, у них еще две собаки было. Одна нормальная, большая, уши торчком, хвост пушистый, а вторая... Я таких тогда ни разу еще не видела: черная, голая, морда узкая, с рыжими подпалинами, хвоста, считай, нету, так, обрубочек. Я этого пса боялась до ужаса, одна женщина на Углежжения все его чертякой звала, но он добрый вообще-то оказался. Марсом все его звали, как сейчас помню, а порода называлась «доберман», это я уж потом, когда в городе жила, узнала.

Геологи все на целый день в маршрут уходили, в доме только шофера оставались да повариха, ну и профессорша. Повариха тоже городская была, они с профессоршей целыми часами, бывало, разговаривали — и все о непонятном. А шофера от скуки со мной возились, мыли меня — я чумазая вечно бегала, бабке-то некогда, — причесывали, а Витька мне книжки с картинками показывал, картинки, правда, все какие-то некрасивые. А один раз дядя Яша с Толькой куда-то на газике уехали, два дня их не было, а когда вернулись, дядя Яша мне целый кулек конфет привез и несколько книжек, настоящих, детских, с красивыми картинками, а Толька — заколочки для волос с божьими коровками... Вот радости было! Тогда я дядю Яшу еще больше полюбила...

Это какой же год был, наверное, семьдесят третий... Я знаете, как его любила? Я при нем раздетая ходить стеснялась, а вообще по улице в одних трусах гоняла, материться тоже стеснялась, он мне один раз сказал: «Таня, нехорошо, когда девочка так ругается, неприлично это, понимаешь? Ты уже большая, красивая, а рот откроешь, уши заткнуть хочется! Обещай, что больше не будешь». А я и не понимала, что ругаюсь, у нас на Углежжения почти все так говорили, а уж Женька и вовсе. Бабка, правда, когда слышала, подзатыльник давала, но ей же все некогда было, а когда дядя Яша сказал, что нехорошо это, я стала задумываться, не хотелось мне его огорчать... Но ведь еще поди разберись, какое слово ругательное, а какое нет, но мне шофера объяснили. Они, правда, и сами через слово матюгались, но при мне стесняться начали. Одним словом, мы друг на друга положительно влияли, понимаете?

А еще профессорша там любовь с Толькой крутила, хотя, наверное, в матери ему годилась. Он хороший был, красивый, ласковый... Я один раз их вечером в огороде застала, прям между грядками, за этим самым делом. Но я не удивилась, я это сколько раз у скотины видала, но все ж таки профессорша, важная такая, между грядками с шофером... Малая была, а прочухала, что лучше не смотреть, когда люди... И никому про это не сказала. А один раз видала, как повариха с Витькой в лес пошли, и так спешили, так спешили... Я сразу просекла, зачем идут, ясно, не за грибами, корзину не взяли, а одеялко старенькое прихватили... Вот такие были мои университеты! — засмеялась Таня, красивая, холеная женщина лет тридцати пяти.

Мы познакомились накануне в автобусе, который вез нас из аэропорта в Анталии к отелю. Я приехала в Турцию отдохнуть после очередной книги, она тоже была одна, и мы сразу прониклись друг к другу симпатией, несмотря на большую разницу в возрасте. Я сразу почувствовала, что Тане необходимо кому-то рассказать свою историю, хотя она ничего пока не знала о моей профессии.

Сколько раз я сталкивалась с тем, что женщины, узнав, что я пишу книги, загорались желанием поведать писательнице о своей жизни. «Вот я вам расскажу про себя, целый роман получится!» — говорили они. Но далеко не из всякой, даже насыщенной трагедиями жизни может получиться роман, по крайней мере у меня. И я чувствую это почти сразу. Но тут я мгновенно навострила уши, а уж когда услышала про университеты маленькой Таньки из поселка Кусьё-Александровский, у меня и вовсе дух захватило, особенно учитывая ее внешность успешной бизнес-леди или жены предпринимателя.

Дело в том, что это я была той самой поварихой, что уходила в лес с шофером Витькой, и прекрасно помнила маленькую матерщинницу, но не подозревала о любви этой девчонки к начальнику нашей партии, моему старому другу Яше, который уже много лет живет в Израиле... Чудны дела твои, Господи! Но я не стала ничего говорить, я затаилась в ожидании интересного рассказа, ведь если даже сама история Таньки не разбудит мое профессиональное воображение, то какие-то детали, словечки, ситуации могут сослужить хорошую службу. Иной раз одно слово может оказаться толчком к написанию романа...

Я прекрасно знала всех персонажей и прекрасно помнила улицу Углежжения, крепкий дом Танькиной бабки, саму бабку и ее шанежки с черемухой, и собак, одна из которых была моя, та «нормальная, с ушами торчком». Вторая принадлежала Яше, мы с ним и познакомились на «собачьей почве», выгуливая наших псов на Екатерининском бульваре в центре Москвы, и до сих пор дружим, несмотря на разделяющее нас расстояние...

Но говорить об этом Тане я пока не считала нужным, мне хотелось услышать ее историю, так сказать, в незамутненном виде.

— А что же дальше?

— Дальше? Дальше уехали в конце сентября геологи, стало холодно, скучно, я целыми днями слонялась по улице и все тосковала по дяде Яше. Книжки, которые он подарил, до дыр зачитала, хотя нет, я тогда еще читать не умела... Это на другой год дядя Яша жену свою с сыном в экспедицию взял. Ох, как я расстроилась сначала! А потом ничего, привыкла, и жена дяди Яши, тетя Ира, научила меня читать. Она хорошая была, даже платьев мне из Москвы привезла и потом еще сарафанчик сшила, говорила, что в шесть лет уже нельзя голой бегать.

А в партии у дяди Яши все другие люди были. И повариха, и шофера... Эти почему-то на меня внимания не обращали, целыми днями, помню, в карты резались... А тетя Настя, новая повариха, пожилая женщина, все норовила меня к чистке грибов приспособить, но куда там, я это ненавидела! Грибов море было, она не справлялась, бабке даже жаловалась... А я нарочно тогда палец порезала, кровища хлестала, я ревела, все на тетю Настю кричали, разве можно ребенку нож давать... Короче, никто больше меня не заставлял грибы чистить, но я с тех пор поняла — иногда, чтобы поставить на своем, надо и пострадать, и приврать, и притвориться... Ох, да что я вам все про ерунду рассказываю... Хотя, не ерунда это, а первая любовь. Я всегда говорю: моя первая любовь — дядя Яша...

А еще, помню, в дождливые дни, когда геологи в маршруты не ходили, они сидели в горнице за столом и разбирали образцы, камешки какие-то, раковины, а названия у них мудреные, и не выговоришь, а еще красивые слова были: «силур», «девон»! Помню, я спросила у дяди Славы, геолога, что такое «силур», он что-то начал объяснять про третью снизу систему палеозойской эры... А дядя Яша так мягко ему сказал: «Славка, это ж ребенок, мать твою, что ты ей лекцию читаешь? Таня, когда вырастешь, можешь стать геологом, а пока не забивай себе голову всякой чепухой, лучше книжки читай, научишься хорошо читать, сама все узнаешь и про «силур», и про «девон»! Знаете, как на меня подействовало? Я в три дня читать научилась, а раньше отлынивала, тетя Ира уж на меня рукой было махнула, а тут только диву давалась... Я такая, если чего захочу, если засвербит у меня, всего добьюсь, но только надо, чтоб мне интересно стало, понимаете?

— И что ж вы, в три дня читать научились и сразу кинулись узнавать, что такое силур?

— Да нет, я как научилась читать, про все забыла, от детских книжек оторваться не могла, особенно мне «Чук и Гек» нравились, ведь у них папа геолог был. А еще Павлик, сын дяди Яши, со мной арифметикой занимался и говорил, что я способная, все схватываю на лету. Это правда, я тогда все на лету схватывала — и хорошее, и плохое. Помню, Женька однажды меня подбил у тети Насти масла сливочного стырить и сгущенки... У него в лесу шалаш был, вот я туда и принесла и масло, и сгущенку, а Женька две буханки хлеба притаранил. Мы с ним так объелись, что еле до Углежжения доползли, а там уж меня бабка поджидала, да с хворостиной, которой гусей гоняла. Ох, и досталось мне, всю попу отбила, да это бы еще полбеды, хуже, что, отметелив, бабка за ухо отволокла меня к тете Насте и заставила на коленях прощения просить. Если б еще просто так, а то на коленях, этого я уж стерпеть не могла, так выла, так орала, а бабка мне еще всыпала, тетя Настя уж стала сама за меня просить, но бабка моя, кремень-старуха, ни в какую. «Умела воровать, умей и покаяться!» Уж не знаю, сколько б эта экзекуция продолжалась, но на мои вопли дядя Яша пришел и отбил меня у бабки. Сказал:

— Хватит, Авдотья Семеновна, она уже все поняла, а будете ее так лупить, она только озлобится. Таня, скажи, воровать больше не будешь?

— Да что ты, Яков Моисеевич, драть надо так, чтоб на всю жизнь запомнила, чтоб неповадно было на чужое зариться... — возражала бабка, а я уж только тихо всхлипывала и еще больше любила дядю Яшу! Но урок бабкин и вправду запомнила. Много чего я в жизни делала, но воровать — ни-ни. Хотя иной раз так и подмывало... И знала, никто не хватится, не заметит, а вот не могла, все думала, как дядя Яша на это бы посмотрел... Ой, я, наверное, уж вам до смерти надоела, и что меня на воспоминания потянуло? Вы извините...

— Да нет, Таня, мне правда интересно. Я вот смотрю на вас и думаю, как из той девчонки такая дама получилась?

— Дама? — искренне рассмеялась Таня. — Какая ж я дама? Дамы по-другому живут, очень уж жизнь у меня не дамская — и происхождение, и воспитание.

— А дамы, по-вашему, какими должны быть?

— Фиг их знает, но уж точно не такими, как я. Бабки из бабы даму не делают. Но я плевать на это хотела! А хорошо здесь, правда?

— Очень!

— Вы завтра на море пойдете?

— Обязательно, для того и приехала, я море очень люблю.

— Я тоже. Может, если я вам не надоела, вместе пойдем, а то одной скучно. У меня, правда, книжка с собой есть... Но лучше поговорить с хорошим человеком. А что это вы все меня слушаете, а сами помалкиваете, вам ведь тоже небось есть что рассказать...

Утром я завтракала на свежем воздухе и с наслаждением наблюдала за очаровательной, совершенно белой кошкой, что сама с собой играла на красивой, залитой ласковым октябрьским солнышком полянке возле моего столика.

— С добрым утром! — приветствовала меня Таня, держа в руках тарелку с булочками и чашку кофе. — К вам можно?

— Конечно! — обрадовалась я. Питаться одной было тоскливо.

— Тут такая классная выпечка! А вы, я смотрю, не едите... Фигуру бережете?

— Разве вы не видите, что мне нечего беречь? — засмеялась я. — Просто не люблю.

— Надо же! А я обожаю! Как спалось?

— На удивление хорошо. Открыла окно и балкон и спала без задних ног.

— А я не очень... Что-то меня разбередил наш вчерашний разговор, многое вспомнилось...

— Расскажете?

— А вам и вправду не надоело меня слушать?

— Ни чуточки. Разве есть для женщин что-нибудь интереснее очередной истории Золушки?

— Золушки? — страшно удивилась Таня. — Да разве ж я Золушка? Ничего общего! Золушке все фея обеспечила, а у меня феи не было, я сама себе феей была, а заодно и злой колдуньей, как говорится, то и это в одном флаконе, а поскольку флакон с виду вполне приглядный, то и на отсутствие принцев вроде не жаловалась, хотя какие там принцы, сволота одна... Но все равно, свой принц у меня был... Дядя Яша...

Как интересно, подумала я, неужто у Яшки был-таки роман с этой девушкой, но когда ж он успел? Хотя он многое успевал, мой друг Яша. Это ведь только в мечтах маленькой девочки он был образцом всех доблестей и добродетелей, а на деле... Нет, человек он золотой, но с вздорным характером и в молодости был жутким бабником, теперь, правда, укатали Сивку крутые горки. Но одно в нем поражало — невероятное обаяние. Ему покорялись практически все женские сердца, независимо от возраста, как говорится, и стар и мал... Но чувства эти были странные, неглубокие, сродни умилению, что ли, а тут такая великая страсть...

— Вы давно его видели? — осторожно спросила я.

— А с тех пор и не видела больше... Но все равно...

— Так это всего лишь детская любовь?

— Да почему детская? Просто любовь!

— Так почему ж вы его не разыскали?

— Я разыскала, только поздно...

— Почему?

— А он уехал в Южную Африку и уж не возвращался. Знаете, как я его искала? Я ведь даже фамилии его не знала... А когда выросла и решила, что теперь можно его найти, землю с небом свела, и нашла, и заявилась прямо к нему домой, а там только тетя Ира. Она мне и сказала, что он уехал в Африку, а Павлик в Америку... И сама тетя Ира собиралась квартиру продать и уехать к дяде Яше в Африку. Уж как я тогда расстроилась, а потом опомнилась и сказала себе: Африка тоже на этой земле, припечет — найду и в Африке...

— Не припекло? — улыбнулась я.

— Сколько раз припекало... Но не до того было, а потом я вдруг поняла — ну найду я его на краю света, а он уж старый и видал он меня в гробу в белых тапочках. На фиг я ему сдалась? Он небось и не помнит, что была на свете такая Танька... И представила я, что он старый, лысый, толстый или седенький, усохший, а я ведь того дядю Яшу любила, с черными волосами и рыжей бородой...

Меня так и подмывало сказать ей, что он не седой и не лысый, разве что немножко располнел да глаза потухли, но не совсем, иногда, ненадолго, они еще загораются прежним хулиганским блеском... Но я промолчала, кто знает, надо ли Тане все это знать? И я решила сперва выслушать ее рассказ, а уж потом...

— Ну вот, слушайте дальше. Уехали геологи, опять зима надвигалась, но теперь у меня были книжки. Я все подряд читала, по всей улице Углежжения ходила и клянчила. В одном доме было целых три книжки — «Капитал», «Василий Теркин» и брошюрка о разведении кроликов, как сейчас помню... Так я все прочитала, хоть и мало что поняла, правда, «Василий Теркин» мне здорово понравился, я его почти наизусть знала... Ну, еще кое-какие книжки нашлись, а потом одна женщина с нашей улицы, медсестра тетя Валя, стала мне книжки в библиотеке брать, все говорила бабке: «Тетя Дуня, надо Таньку учить, вон она еще в школу не ходит, а книжки прямо глотает!» А бабка головой качала и говорила: «Мое дело ее накормить да сберечь, а учить пусть родители учат, малая она еще». А потом вдруг мамка моя приехала, гостинцев привезла, а сама из слез не выхлюпывается — папка от нее сбежал и невесть куда подался... Целыми днями они с бабкой что-то обсуждали, меня вон гнали, чтобы под ногами не путалась, а через неделю мамка мне объявила: уезжаем мы с тобой, Танька, в большой город жить...

И уехали мы в Воркуту. Ой, мамочки, как же мне там не понравилось! Вместо нашей улицы Углежжения, леса, речки, свободы, просторного деревянного дома — комнатенка в коммуналке, девять метров, соседи хмурые все какие-то, никто слова доброго не скажет, только шикают: не шуми, мол, веди себя тихо... А на дворе — полярная ночь, я все никак в толк взять не могла, почему за окнами все время темно... И по бабке я тосковала. Мамка сама на работу, а я в комнатенке сижу, в школу меня пока не брали. Одна радость — телевизор. У бабки телевизора не было, она его баловством считала, а еще мне там все время страшно было, особенно после того, как одного соседа нашего прямо возле дома убили. Я плакала, просилась обратно к бабке, а мать сердилась, правда, на лето обещала отвезти в Кусьё. Да видно не судьба... В начале весны бабка моя, Авдотья Семеновна, померла. В одночасье преставилась. Коров подоила, с полным подойником на крыльцо взошла — и все... Соседка видела, как она упала, молоко разлилось, подбежала к ней, а она уж не дышит... Матери сообщили, та повыла, покричала, потом подхватилась и поехала туда. Вот тогда я в последний раз и была в Кусьё-Александровском, на улице Углежжения. Мать дома и всю скотину продала, да за гроши, никто особенно на нашу улицу не рвался, глупые люди, там так хорошо было, а воздух какой, а лес... Или мне это по малолетству казалось? Не знаю. Иной раз потянет меня туда съездить, поглядеть, да, честно сказать, боязно... Вдруг все не таким окажется. Пусть лучше останутся детские воспоминания, хорошие, ничего не скажу... А как я тогда горевала, но не по бабке, не по улице Углежжения, а оттого, что четко поняла — дядю Яшу больше не увижу! Помню, в последний день соседка, тетя Валя, та, что мне книжки из библиотеки носила, мамке говорит:

— Тома, не вози ты Таньку в эту Воркуту, глянь, какая она froma бледнючая стала, нечего там ребенку делать, тем более девка у тебя способная, читать умеет лучше взрослых некоторых. Да и ты сама на кого похожа? Езжай лучше куда-нибудь на Юг, всех денег не заработаешь, а девке полезнее будет и тебе тоже.

Мамка тогда задумалась, а тетя Валя и говорит:

— Тома, хочешь, оставь Таньку со мной, я ее не обижу, а ты устроишь свою жизнь, может, мужа найдешь, ты ж еще молодая!

Но мамка ни в какую!

— Нет, тетя Валя, хватит уж нам врозь жить, она ж мне дочура родная, вот пускай с матерью и живет. Кто лучше матери для ребенка?

— Тогда, Тома, дам я тебе адрес своей подружки, она в Бердянске живет, на Азовском море, климат там хороший, будет Танька в море купаться, на солнышке греться. А работу ты найдешь, там несколько заводов есть, подружка моя тебе на первых порах поможет, она хорошая женщина, мы с ней в медучилище вместе учились...

Но мать не захотела в Бердянск, у нее были другие планы. В Воркуту мы вернулись, но ненадолго. Мать уволилась с работы, собрала вещи, и мы уехали. В Москву! Моему восторгу не было предела, еще бы, ведь в Москве живет дядя Яша! Но разве я могла себе представить, какая она огромная, эта Москва! Сейчас я даже вообразить не могу, на что мать рассчитывала, собираясь туда? У нее там практически никого не было. Но ее это не пугало, или она виду не подавала...

Короче, в Москве она сняла комнатушку у старухи, сын которой работал с ней в Воркуте, он и дал адрес своей матери и записку написал к ней. Старуха странная оказалась, я таких прежде никогда не видывала. Вот она как раз была дама, из бывших. Звали ее Агния Васильевна, ее дед был жутко богатым купцом, отец известным музыкантом, а она сама тогда вышла замуж за партийца из морячков, в тридцать седьмом году его посадили, ну и ее заодно, как тогда водилось, а сынишку в детдом отправили. Просидела она много лет, потом в ссылке жила, но ее сестра в свое время мальчонку сумела из детдома выдрать и сама воспитала, так что тетка ему роднее матери была. Потом она вернулась, комнату ей выхлопотали, они с сестрой съехались в двухкомнатную квартиру на улице Строителей, в красных домах, но сестра вскорости померла. А сын Агнии Васильевны почему-то жил в Воркуте, он там инженером на комбинате «Воркутауголь» работал.

Старуха вообще-то не хотела комнату сдавать, но, видно, не могла сыну перечить. Так мы у нее и поселились. Сейчас я понимаю, она неплохая была, а тогда до печенок меня достала, все хотела хорошие манеры привить... И как она по лагерям их не растеряла, эти манеры, даже странно. Один раз так мне надоела, что я ее по старой памяти матом послала, думала, она окочурится, но не тут-то было! Она, правда, побледнела, а потом как топнет ногой! Как сама меня трехэтажным матом обложит! И еще по морде съездила, правда, не больно.

— Если ты еще раз пасть свою грязную откроешь, я вам сразу от квартиры откажу! Довольно я в своей жизни грязи наслушалась и навидалась, чтобы еще в моем собственном доме эту грязь терпеть! И запомни, какую бы пакость ты ни сделала, я всегда сумею ответить и дать сдачи! Поняла?

И я поняла! Я все поняла! Больше никогда при ней рта не раскрывала, а еще поняла, что внутри она железная, потому и вынесла все, не сломалась. Больше у нас с ней проблем не было. Прожили мы у нее почти два года. Мать устроилась на завод «Калибр», работать она умела и вскоре вышла в передовики... А еще на нее глаз положил ихний какой-то профсоюзный деятель, и в результате ей дали комнату в коммунальной квартире, большую, светлую, а соседей всего двое было. С Агнией Васильевной как с родной прощались. Мне жалко было от нее уезжать, у нее в комнате столько всяких интересных штучек было... Ну и книг, конечно, много. Я ведь тем временем в школу пошла и хорошо училась, на одни пятерки, мать, знаете, как мной гордилась? Все приговаривала: «Дурак твой папка, шалается где-то по свету, а не знает, какая у него дочура растет».

Мы с ней неплохо жили, правда, к ней стал ходить тот профсоюзный деятель, который комнату выхлопотал... Если днем, в выходные, мне денег на кино давали и на мороженое, а если иногда на ночь оставался — ширму ставили. А за ширмой все равно слышно... Он так противно пыхтел, я все думала, как мать с ним может... По утрам она от меня глаза прятала, а я не осуждала, я жалела ее. Потом наша соседка, старушка, померла от воспаления легких и в ее комнату вселили новую жиличку, Милочка ее звали, Людмила Ивановна. Очень ей имя это шло — Милочка. Она такая милая была и по профессии, угадайте, кто? Ну, конечно, геолог! Ей было тогда лет тридцать пять, как мне сейчас. Худенькая, некрасивая, в очках, одевалась кое-как, но доброты была сказочной! Соседки, мать моя и тетя Зина, встретили ее не очень приветливо, помню, тетя Зина матери сказала:

— Ох, Тома, намучаемся мы с этой очкастой, неряха она, по всему видать, небось места общего пользования мыть не умеет, западло ей. Видала, сколько книжек навезла? Такие, с книжками, они завсегда грязнули те еще!

Мать только скорбно кивала в знак согласия. Сама она чистоплотная была, каждую свободную минуту что-то скребла, чистила, крахмалила. Это, надо сказать, она не в бабку... Той не до чистоты было с ее хозяйством. Но и Милочка, надо заметить, оказалась тоже чистюлей. Зина хотела после ее уборки к чему-то придраться, но не смогла. А вскоре Милочка с матерью сдружились, и, когда материн профсоюзник на ночь оставался, она брала меня ночевать к себе. И очень меня любила. Стала книжки давать и даже в театр водила. Ох, как мне в театре понравилось! Первый раз мы «Аленький цветочек» смотрели. Я хлопала как бешеная, а когда все кончилось, разревелась. Милочка испугалась: ты чего, Таня, плачешь? А я реву белугой. И она все поняла без слов.

— Не плачь, мы с тобой еще в театр пойдем, не горюй, а захочешь, сама сможешь в театре работать, когда вырастешь!

И повела меня не домой, а в кафе-мороженое на улице Горького, которое называлось «Север». Я там первый раз в жизни ела мороженое из вазочки, вот сколько лет прошло, я это мороженое помню, оно было шоколадно-сливочное, не два шарика, а один большой двухцветный, жидким шоколадом политый да еще орешками присыпанный! Тут мои слезы высохли, так было вкусно! И полюбила я тогда Милочку на всю жизнь. Сколько проживу, буду ее помнить, много она мне хорошего сделала, только ее собственная жизнь была несчастливой и короткой. Погибла она в горах... Я по ней убивалась как по самой родной, даже когда мать моя померла, так не убивалась... Это она, Милочка, мне все про женский организм объяснила, поэтому я и не испугалась, когда месячные пришли, а то у нас в классе одна девочка с перепугу чуть руки на себя не наложила, в то время ведь не трындели на каждом шагу про прокладки и критические дни, тогда все этого стеснялись. И вообще, с Милочкой обо всем можно было говорить, все рассказать... Я ей и про дядю Яшу рассказала, хоть и понимала своим детским умишком, что это смешно. А она не смеялась. Я так надеялась, что она его знает, тоже ведь геолог, но... Она спросила фамилию, а что я могла сказать?

— Ничего, Таня, не огорчайся, я теперь буду всегда помнить, что нам нужен Яков Моисеевич, как услышу про такого, побегу на него смотреть, если увижу черные волосы и рыжую бороду, я его за эту бороду схвачу и к тебе приволоку. Вот только что ты с ним делать будешь, а?

И она меня поцеловала в лоб. А я, как сейчас помню, сказала:

— Нет, Мила, ты его за бороду не хватай, ты фамилию узнай, ладно? Ну и адрес, конечно. А я, когда большая стану, выучусь и пойду к нему в партию работать! Геологом!

Вот тут она расхохоталась:

— Ох, Татьяна, ты меня уморишь! Первый раз такое слышу! Но ты молодчина, у тебя правильные мечты. Геология — это прекрасно! Обычно девчонки о чем мечтают? Артистками стать. Вот, мол, вырасту, стану знаменитой артисткой, тогда он поймет... И не важно, кто он, взрослый ученый дядька или сопливый шкет из параллельного класса. Девчонки ведь думают, что артисткой быть сплошной праздник... А у тебя мечты конкретные, даже если ты и не будешь работать в партии у дяди Яши, все равно у тебя в руках будет отличная специальность, и я чем смогу, помогу тебе...

Два раза летом Милочка брала меня с собой в экспедицию, говорила всем, что я ее племянница. Мне лет десять было, а я сразу поняла, что Милочка влюбилась. В одного палеонтолога, он красивый был — прямо как в кино, волосы светлые, густые, глаза голубые, высокий, тонкий, но противный. Не то что дядя Яша. У того тоже голубые глаза, но у него они живые, а у того, Андрея, глаза были мертвые... Понимаете? Он на Милочку и не глядел, шастал по ночам в палатку к Леле, другой геологине, а Милочка страдала, и я его за это ненавидела. Она, правда, все скрывала, делала вид, что ей на него наплевать, вела дружеские беседы с Лелей, но... Они там, в партии, пили много, особенно в актированные дни. Знаете, что это такое? Когда дождь льет как из ведра, в маршрут не ходят, такой день считается актированным... Так вот, однажды в актированный день все уже к обеду лыка не вязали, и Милочка моя тоже назюзюкалась! Все разбрелись по своим палаткам, осталась только она да Андрей, и что-то разговорились они, я тоже там затаилась, но меня никто не замечал, уж не знаю, о чем у них разговор вышел, они тихо говорили, но вдруг Милочка взяла его руку и прижала к своей щеке, а этот скот руку вырвал и говорит:

— Запомни раз и навсегда — как женщина ты для меня не существуешь, заруби это на своем курносом носу!

— Андрей, зачем ты так? — заплакала Милочка.

— Затем, что я уж видеть не могу, как ты на меня облизываешься! С такими, как ты, только так и можно, ты же липучка, а липучку надо отдирать с мясом, поняла?

И он хотел выйти из палатки, но не тут-то было! Разве могла я стерпеть такое? Я как завизжу, как кинусь к нему, как вцеплюсь ему в волосы! Ух, и драла же я его! Он орал как резаный, но сбросить меня не мог. А я его и щипала, и била, и кусала, как бешеная псина! Милочка пыталась меня оттащить, но где там! Сбежалась вся партия и совместными усилиями оторвали меня. Но его репутация была погублена! Все поняли, что он кого-то сильно обидел, а может, знали его хорошо, но, короче говоря, начальник партии, пожилой дядечка Евгений Афанасьевич, увел меня к себе в палатку, налил мне каких-то капелек, заставил выпить, дал шоколадную конфету и сказал:

— Танечка, детка, что такое случилось? Я же понимаю, ты не с бухты-барахты на него накинулась. Расскажи.

Я молчу.

— Таня! Он тебя обидел? Или Людмилу? Да?

Знаете, как мне хотелось все ему рассказать, но я понимала — нельзя, не могла я ни одной душе рассказать о том унижении Милочки... Для меня это было непереносимо. Знаете, меня саму в жизни не раз унижали, но по-другому, не как женщину, понимаете? Вот ведь совсем писюшка была, а скумекала... И ничего ему не сказала. Но он, видно, догадался. Да и другие тоже. С Андреем все стали очень холодны, и он через три дня уехал... А я еще больше захотела стать геологом.

— Почему же не стали? — осторожно спросила я.

— А черт его знает, жизнь так сложилась... Да ладно, я вас и так уж своими россказнями умучила.

— Да нет, Таня, мне интересно.

— Ну, у нас времени еще вагон и маленькая тележка, а у меня уж в горле пересохло.

На другой день мы встретились опять за завтраком, встретились как старые добрые знакомые, но вид у Тани был какой-то хмурый, и она все больше помалкивала.

— Вы себя плохо чувствуете? — спросила я.

— А что, заметно? Я очень страшная, да?

— Ну что вы, вы все равно красивая, только хмурая.

— Будешь хмурая, — вздохнула она.

— Что-то случилось?

— Случилось, но не будем об этом говорить, ладно?

— Как хотите, Таня. — Я вдруг почувствовала себя не в своей тарелке. Вчера она так откровенно все мне рассказывала, и я уж вообразила, что она и дальше будет откровенничать. Не скрою, мной двигало любопытство, лишь отчасти профессиональное, просто меня страшно увлекла невероятная встреча с маленькой матерщинницей... Должна признаться, что именно этим она мне и запомнилась.

Я молча допила свой чай.

— Ну что ж, Танечка, я пойду, увидимся еще!

Она кивнула, но ничего не сказала. Вероятно, уже раскаивалась в том, что выложила столько совершенно незнакомому человеку. Такое бывает нередко. Но я уже знала, что обязательно напишу об этой женщине, пусть даже придется дать ей другое имя, другое место рождения и совсем другую судьбу. Впрочем, я ведь не знала, как сложилась ее взрослая жизнь, но это даже к лучшему, можно дать волю воображению... Что я знаю о ней, кроме истории детства? Обручального кольца она не носит, держится достаточно независимо, на мужчин ищущим взглядом не смотрит, правда, сейчас, в середине октября, молодых в отеле мало, в основном пожилые пары из России и Германии, и положить глаз, как говорится, не на кого, и все-таки... Вчера после обеда в баре я видела немолодую немку, она сидела одна у стойки и каждую мужскую особь окидывала столь недвусмысленно оценивающим взглядом, что я даже рассмеялась.

А в Тане интерес к этой стороне жизни совсем не заметен. Вероятно, у нее есть мужчина, занимающий все ее мысли, она женщина сильных страстей, судя по всему. Но, надеюсь, этот мужчина — не Яшка. Она мне нравилась, в ней было что-то настоящее. Если такая женщина приезжает в разгар осени совершенно одна отдыхать в Турцию, не ищет мужского общества, с наслаждением рассказывает о себе незнакомой немолодой тетке, значит, она либо от кого-то или чего-то бежит, либо просто нуждается в передышке, именно не в отдыхе, а в передышке, поскольку такие женщины по определению не должны отдыхать в одиночку. Могла же она приехать, к примеру, с подругой, если уж не с мужем, любовником или другом, на худой конец.

Смешно, в наше время многие понятия так сместились, что иное слово приходится комментировать. Помню, много лет назад я что-то рассказывала одной немке и упомянула о каком-то своем друге, а поскольку разговор шел по-немецки, то я добавила, что это друг в нашем, российском понимании. То есть не любовник. Ибо в немецком слово «Freund» давно уже приобрело именно такой смысл. В последнее время и у нас, когда женщина говорит о ком-то «мой друг», ее уже могут понять превратно. Вообще, смещение значений бывает забавным. Много лет назад, занимаясь литературными переводами с немецкого, я наблюдала параллельные изменения в двух языках. Например, немецкий глагол «bumsen» раньше означал то же самое, что и русский глагол «трахнуть», то есть, как пишет Ожегов, «произвести какое-то быстрое неожиданное действие с шумом, треском. Трахнуть графин (разбить). Трахнуть по спине (ударить)». Что теперь означает это слово, знают все. И точно такое же превращение произошло со словом «bumsen».

Да, к чему это я? Зачем на отдыхе забивать себе голову подобной мурой? Надо бездумно наслаждаться солнцем, морем, беззаботной жизнью, разложить пасьянс, решить кроссворд, почитать что-нибудь... Правда, книги, взятые с собой, как-то не вдохновляли. Кажется, я скоро стану типичной героиней старого, еще советских времен, анекдота: «Чукча не читатель, чукча писатель»! Потому что в голове уже крутится мысль, как лучше начать роман, если героиней его будет такая женщина, как Таня. А какая она, разве я знаю? Но мне и не надо знать. Моя героиня будет жить по иной, своей собственной, логике, зачастую не зависящей даже от меня. И это, может быть, самое интересное в писательской профессии. Вот вернусь в Москву, сяду за свою машинку и начну: «Эх, знали бы вы, как я мечтала выйти замуж!»

Глава 2
ПРИДУМАЙТЕ САМИ

Рядом с моим лежаком кто-то кашлянул. Я открыла глаза: Таня.

— Извините меня, — смущенно улыбаясь, проговорила она. — Я вела себя как последняя хамка! Простите! Два дня морочила вам голову своими россказнями, а потом вдруг замолчала в тряпочку... Вы не сердитесь?

— Да нет, Таня, я к вам не в претензии, всякие бывают настроения.

— А вот Милочка мне внушала, что нельзя свои настроения людям показывать, их это не касается.

— Таня, успокойтесь, я не в обиде.

— Вот и слава богу! — обрадовалась она. — Знаете, я всегда так — сперва из меня улица Углежжения прет, а уж потом я спохватываюсь и вспоминаю Милочкины уроки... Понимаете, мне вчера вечером один человек позвонил, я так этого звонка ждала, а он... Он сказал, что нам надо расстаться, вот я и психанула... Даже утопиться хотела. Но потом передумала, много чести, хотя, конечно, жизнь ему это бы отравило капитально! До самой могилки!

— Таня, ни один мужик не стоит вашей жизни!

— Вот и я так подумала. Пусть живет со своей шваброй, если она ему дороже меня... А вам правда интересно меня слушать? Странно даже... вы вон не очень молодая уже, у самой небось всякого в жизни хватало...

— Это правда, хватало всякого, и тем не менее...

— А вы мне потом про себя расскажете?

— Расскажу, почему же нет.

— Ладно, только про этого... я пока не хочу говорить.

— И не надо, лучше про Милочку расскажите.

— Эх, была бы Милочка жива, вся моя жизнь, наверное, по-другому сложилась бы, хуже или лучше, не знаю, но по-другому — точно. Мать моя, когда разобралась, что Милочка ко мне как к родной относится, обрадовалась и спихнула меня на нее целиком. С мужиками стала путаться без зазрения совести. А чего ей? Я ж могу у Милочки ночевать, к той-то никто не ходил. Профсоюзник перестал появляться, зато другие не переводились, водку жрали... И мать с ними. Иной раз, бывало, придет домой трезвая, смотрит на меня как на незнакомую. «Дочура, как ты вымахала, совсем большая, надо б тебе пальтишко новое справить...» Справляла. Заодно и туфли покупала, не могу сказать, что вовсе меня забросила, но одежонкой вся ее забота и ограничивалась. А поговорить, поинтересоваться школьными делами — нет. Это все Милочка... Она иногда с такой любовью на меня смотрела. А один раз я подслушала ее разговор с Галей — была у нее подружка Галя. Вот эта Галя и говорит:

— Милка, что ты делаешь? Тебе бы свою жизнь устроить, ребенка родить, а ты чужую девчонку на себя взвалила и радуешься.

— Таня мне не чужая, она роднее многих родных. Она меня жалеет, и еще она во мне нуждается, а я ее просто люблю.

— Да она вырастет, хвостом вильнет — до свидания!

— Ну и что? А родные дети так не поступают разве? Только, наверное, когда ребенок родной, это обиднее, горше...

— Это правда, — подумав немного, согласилась Галя. — Но она ведь вовсе к тебе переселилась, какая у тебя в таких условиях может быть личная жизнь?

— Да нет у меня никакой личной жизни! Нет, понимаешь? А если ночью иной раз проснешься и в комнате кто-то дышит, так приятно бывает... А когда я с работы прихожу и Таня все мне вываливает, и про уроки, и про учителей, и про мальчиков, я чувствую себя моложе, мне все это интересно, меня волнуют ее проблемы, и это здорово отвлекает от всяких дурацких мыслей.

— Ты небось и на родительские собрания ходишь?

— Естественно!

Галя только головой покачала, но в следующий раз пришла и подарила мне тонкие колготки, импортные!

Я таких еще не носила, вот радости было... А на другое лето Милочка не смогла взять меня с собой в поле, они в Монголию поехали, и осталась я одна в ее комнате. Она мне, правда, много книг оставила, велела к ее возвращению все прочитать, а я их почти все за июнь проглотила. А потом мать меня в пионерлагерь отправила, на озеро Сенеж. Мне там не понравилось, скучно показалось, да еще девчонка одна меня гнобить вздумала. Лагерь был от фабрики какой-то, что ли, и я там чужая была, они все друг дружку давно знали, а я новенькая. Да еще ребята стали на меня внимание обращать, именно как на новенькую — я хорошенькая была, и титечки уже проклевываться начали, одним словом, понимаете... А раньше у них первой красотулей Нютка Карасева считалась. Вот она и начала по любому поводу надо мной измываться. Я сперва хотела по-хорошему все уладить, как Милочка учила, но, когда она меня окончательно достала, я так ее отдубасила, что ой-ой-ой, все меня зауважали, хоть и ненадолго — выперли меня из лагеря. А я и рада была. У меня с детства слово «лагерь» совсем другие ассоциации вызывало, хоть и малявка была, а понимала: лагерь — огороженная территория, где люди не живут, а выживают. И пионерский лагерь был для меня немногим лучше. Вот я слыхала, некоторые вспоминают свое пионерское детство в лагере прямо с восторгом, а я — терпеть не могу, ничего я там хорошего не видела. Мать, конечно, развопилась, мол, это все Милочкино влияние, она, Милочка, все выеживается, не хочет быть как все и меня к тому же приучает, надо уметь жить в коллективе, и вообще, чему такая тарань сушеная научить может... Ну я послушала, а потом не стерпела:

— А ты-то сама чему научить можешь? С мужиками спать? Водку жрать?

Она опешила сначала, потом по морде мне съездила, потом разревелась, а потом с горя напилась... Вот такая жизнь. А через два года Милочка моя поехала на Памир и не вернулась. Царствие ей Небесное, золотая она была... А я с горя вдруг толстеть начала, да и возраст еще переходный, одним словом, разнесло меня, как на дрожжах. А я уж влюблена была в одного парня из одиннадцатого класса... И решила на диету сесть, только ничего мне не помогало, и я вовсе есть перестала. Только воду пила. Мать и не замечала ничего, у нее в то время одна задача была — Милочкину комнату заполучить. К счастью, ей это удалось, таким образом у меня теперь своя комната была. А уж съела я что-то или нет, не больно ее волновало. Я начала худеть, голодовка принесла плоды, но плоды горькие оказались, я, как говорится, разучилась есть. У меня началась анорексия, и я попала в больницу... Там доктор один был, довольно молодой еще и красивый, он все уговаривал меня. А я ни в какую, не хочу быть толстой — и точка. Меня уж и силой кормили, и уколы какие-то делали, ничего не помогало. И однажды доктор разозлился:

— Хочешь с голоду помереть? Помирай! Только не в больнице, мне это совсем ни к чему! А выписать тебя я пока права не имею! Так уж будь добра других девчонок не баламуть, некоторые из этих идиоток уже начинают есть, а глядя на тебя... Короче, если ты думаешь, что такие мощи хоть одному мужчине на свете нравятся, то ошибаешься! У тебя уже парень был? Ты спала с кем-нибудь? Нет? Если жрать не будешь, так и помрешь, не узнав ничего ни про любовь, ни про секс!

А я ему:

— Ну и подумаешь! Навидалась я этого сексу, спасибо, не хочу!

Он так и сел. Потом, видно, кое-что скумекал и говорит:

— Дура ты, Таня, хоть и навидалась сексу! Со стороны это и вправду противно, особенно если без любви, а вот когда любовь и не со стороны — совсем другое дело. Поверь мне, ничего слаще в жизни нет, и чтобы это испытать, стоит и жить и есть... Вообще, пойми, дурья башка, в жизни много радостей и без осиной талии. А у тебя она будет, говорю тебе, только надо выздороветь, ты больна. У тебя было большое горе, стресс, гормональная система разрегулировалась, а ты ее голодухой еще расшатала и всю нервную систему в негодность привела. Знаешь, это тяжелая болезнь, которую надо лечить долго и упорно, но если будешь меня слушаться неукоснительно, обещаю: в будущем станешь настоящей красавицей. Только уж не дури...

Знаете, когда со мной разумно разговаривают, пусть даже называют при этом дурой, я не обижаюсь и принимаю разумные речи к сведению. Доктор слово сдержал. И я тоже — очень уж хотелось красавицей стать — поверила доктору. Долго я в больнице лежала, а больница, думаете, какая? Психушка самая натуральная, хоть и детская. Но ничего, вылечилась, в школу вернулась. Мальчишки все почему-то как с цепи сорвались, а девчонки, конечно, завидовали, и скоро вся школа узнала, что я в психушке была, даже первоклашки при виде меня язык показывали и пальцем у виска крутили... Я тогда школу бросила, две недели не ходила, а потом подумала — пускай говорят, что я психованная, меня не убудет, особенно если я хорошо учиться буду, лучше всех в классе. И точно, через два месяца все успокоилось, я стала лучшей ученицей, учителя меня в пример ставили, мальчишки только рты разевали, а я на них и не глядела, в доктора своего влюбилась... Угадайте, как его звали?

— Неужели Яша? — засмеялась я.

— Именно! Яков Сергеевич! Я к нему время от времени на прием ходила. Он мной гордился, один раз даже домой к себе позвал, а там у него жена, дочка маленькая, комнатки в квартире крохотные, теснота, с ними еще тесть с тещей жили, он дома совсем другой был, не такой как в больнице, там-то он царь и бог, а тут... И я его разлюбила. Теща на него орала при мне, а он только улыбался смущенно... Он мне там не понравился... Помните, в каком-то старом фильме героиня говорит: «Хороший ты мужик, но не орел!» Вот и Яков Сергеевич тоже оказался «не орел». А в шестнадцать лет мне нужен был орел! Только где его возьмешь? У нас в классе почти все девчонки уже с парнями спали, а мне даже подумать об этом тошно было, тем более мать, когда комнату мне выбила, вообще с катушек слетела, а некоторые ее мужики начали ко мне подъезжать, фу, вспомнить мерзко...

В девятом классе у нас новенькая появилась, грузинка. Медеей ее звали. Не сказать чтобы красавица, но было в ней что-то, отличавшее от всех, теперь-то я знаю, как это называется, — аристократизм, а тогда не понимала. Но она мне ужасно понравилась. Ей в классе было одиноко, ее в штыки встретили почему-то, вот мы с нею и подружились. Это была моя первая настоящая подруга. Она меня к себе домой пригласила, я в таких домах еще не бывала. Сколько там было книг! И картин странных, Медея называла какие-то фамилии, так надо было понимать, что эти фамилии все приличные люди должны знать. Фальк, Фонвизин, Альтман... Отец Медеи был из княжеского рода, а сам известный музыкант, пианист. Я его редко видела, он постоянно уезжал, гастролировал за границей, а мама у Медеи была просто домохозяйкой, но тоже из княжеской семьи, красивая женщина, тетя Нуцико. Боже, как она готовила! Никогда раньше я ничего подобного даже не пробовала. А торты какие пекла, с ума сойти! Она ко мне хорошо относилась и даже иногда ставила в пример Медее. У них в доме уютно было, красиво и... тепло.

Я никогда так не жила, чтобы и мать, и отец, и всякие родственники... Родственников там была чертова уйма. Медея, бывало, скажет: «К нам брат приехал». Родной, спрашиваю, или двоюродный, а оказывается, вообще десятая вода на киселе — троюродной тетки пятиюродный племянник. Мне это в диковинку было. И еще я поняла, что в этом доме многому научиться могу. И правда, тетя Нуца меня манерам хорошим учила, и готовить тоже, и люди к ним в дом такие интересные ходили. А еще у них запрещенные книжки бывали, и Медея мне иногда их почитать давала, взяв с меня клятву, что я никому никогда... Помню, она как-то пришла ко мне с сумкой, полной молочных пустых бутылок. Я удивилась, обычно она пустые бутылки сдавать не ходила. А под бутылками у нее книги. Заперлись мы с ней в моей комнате, она и говорит:

— Таня, можно у тебя на денек книжки спрятать, а то к нам родственник один приехал, мама боится, что он может на папу настучать, если обнаружит эти книги, он такой, всюду свой нос сует...

— А зачем вы его пускаете?

— Понимаешь, он папиной двоюродной сестры зять, неудобно его не пустить.

— Медико, а можно я почитаю?

— Можно, конечно, но только чтобы никто не видел.

И когда она ушла, я взяла такую толстую книжку — «В круге первом» называлась. И чуть с ума не сошла, так мне она понравилась. Я над ней столько слез пролила... И потом мы с Медеей долго эту книжку обсуждали, она мне многое объяснила. И тогда казалось, что никогда в жизни книжку эту не разрешат, но прошло всего несколько лет — и ее напечатали у нас. Я вот недавно както увидала ее на прилавке, сразу купила! Думала, прочитаю наконец спокойно, с чувством... Но что-то не пошла она у меня. То ли просто момент такой был, то ли за эти годы я столько всего узнала, то ли запретный плод слаще кажется, но только все же что-то не то...

Но, короче говоря, школу я окончила. И решила поступать на геофак в МГУ. Но не поступила. Одного балла не добрала. В геологоразведочный тоже не попала. Расстроилась страшно. А Медея провалилась в медицинский. Она во что бы то ни стало хотела стать врачом. Но ее не приняли, и она говорила — из-за того, что она грузинка... Будто бы было негласное распоряжение грузин не брать в медицинский. Я удивилась. Что евреев не брали, я уж знала, а про грузин первый раз слышала. Но Медея была упорной и решила добиться своего во что бы то ни стало. Она с утра до ночи занималась, а я решила работу искать, очень тошно было у матери денег просить. В результате устроилась приемщицей в дом молодежной моды, при нем было ателье, вот туда меня и взяли. Работка не очень пыльная, но скучная. Зато можно было заниматься, я целыми днями с книжками просиживала, с учебниками то есть. Платили, правда, гроши, но все-таки...

Была у нас там одна клиентка, певица из Музыкального театра, ну который имени Станиславского и Немировича-Данчснко, шила у нашей главной модельерши вечерние платья. Красивая, глаз не оторвать, и пела здорово, я один раз слыхала. Но ходу ей почему-то не давали, хотя она лауреаткой была и все такое, сейчас-то она знаменитость, по всему миру поет, а тогда только начинала. Так вот, пришла однажды эта певица на примерку, а день был весенний, солнечный, сидеть за моим столом сил не было, клиентов тоже не наблюдалось, вот я и вышла на крылечко, воздухом подышать. И смотрю, выходит эта певица, спускается по ступенькам, и вдруг к ней кидается... дядя Гия, Медеин отец! Он ее целует, берет под ручку и ведет к машине, а меня не видит, конечно... Я просто обалдела! Смотрю, сели они в машину и целоваться начали. Вы даже не представляете, что я тогда почувствовала! Как же так, думаю, неужели и дядя Гия тоже обыкновенный кобель? И так мне жалко тетю Нуцу стало и почему-то стыдно перед ней. Спрашивается, мне-то чего стыдиться? А вот поди ж ты! И хотя я с самого малолетства всякого навидалась, а все же Милочка успела вбить мне в голову разные заповеди, да еще казалось, что в интеллигентных семьях такого не бывает...

Короче, дура я была непроходимая, темнота непролазная. И поговорить мне об этом не с кем было. А еще меня терзал вопрос: сказать об этом Медее или нет? Долго я мучилась, а потом решила промолчать, додумалась, что тетя Нуца, может быть, и сама все про мужа знает, а если я скажу, во-первых, выйдет донос, а что доносить стыдно, я точно знала и от Милочки, и из запрещенных книг, а во-вторых, лучше смолчать просто из жалости... Я смолчала, но с тех пор уже не могла так часто бывать в этом доме. Страдала, скучала, но смотреть в глаза тете Нуце не могла. А у Медеи в тот момент роман жгучий начался, но она мне ничего не рассказывала, говорила: «Прости, Таня, я просто боюсь сглазить, потом тебе все расскажу...» А у самой глаза в пол-лица, сияют, и изнутри вся как будто светится. Но я почему-то боялась за нее. И совсем не завидовала. Ни чуточки! Так что она даже не заметила, что я к ним ходить перестала, не до меня ей было. Тетя Нуца как-то позвонила мне, спросила, как дела, почему не появляюсь, не заболела ли. И опять мне стыдно стало. Но я отговорилась работой, учебой, пообещала обязательно в ближайшее время прийти... И пришла... на похороны Медеи. Она с собой покончила из-за любви. Бросил ее тот тип, а она, дурочка, жизни себя лишила.

Я во всем себя обвиняла, ведь если бы я чаще с ней виделась, ходила бы к ней, может, она все рассказала бы мне и ей стало бы легче или мы бы вдвоем что-нибудь придумали... Хотя что придумаешь, если человек жить не хочет? Ну еще дядю Гию я тоже во всем винила. Но когда увидела его на кладбище, все ему простила. Он и сам как мертвый был. Тоже небось казнился... А через год они с тетей Нуцей из Москвы за границу уехали, и с тех пор я ничего о них не знаю. Но вспоминаю всегда с таким теплом... Золотые они люди были, несмотря ни на что. А еще я другой урок из этой истории извлекла — мужиков надо бояться и не доверять им, даже самым лучшим. Все знакомые девчонки давно уж с мужиками путались, а я все в девицах ходила. Решение приняла — пересплю только с законным мужем! А парней, которые ко мне подъезжали, шугала. И на следующий год поступила-таки в МГУ, добилась своего! И еще одно поняла — чтобы мечта исполнилась, надо потрудиться. Я, конечно, об этом знала и от Милочки, и из книг, но мне до всего надо самой дойти, только тогда я в это по-настоящему поверю...

На стипендию прожить и тогда невозможно было, а мать меня уж и кормить перестала даже. Но я не растерялась и стала подрабатывать. Я неплохо умела шить, ничего особенного, но чистенько, а в доме моды нагляделась, нахваталась и открыла, можно сказать, производство на дому. Машинка у матери была, а в восьмидесятые годы, чтоб одеться, надо было на уши встать. Я покупала платки, большие пестрые платки, и с русским узором, и с абстрактным, и шила из них что-то вроде пончо, вот берешь два платка одинаковых, уголок к уголку, и делаешь два боковых шва, а уголки оставляешь незашитыми, получается горловина, один уголок на грудь отгибается, второй на спину как воротник! Вот и вся премудрость. И шерстяные платки в дело шли, и шелковые, и таким это стало пользоваться успехом, только успевай строчить. Я недорого сбывала, но на кусок хлеба зарабатывала. Правда, своим девчонкам с геофака я не продавала, мне товар сбывать племянница соседки, тети Зины, помогала, она училась в ГИТИСе. Ну ей, конечно, процент тоже шел... Так что я была при деле.

А потом мать моя заболела и в две недели сгорела. Цирроз печени. И осталась я совсем одна на белом свете. Но, между прочим, в двух комнатах! И решила сменять их на однокомнатную квартиру. Но тут тетя Зина уперлась и ни в какую. Она, оказывается, до сих пор пережить не могла, что Милочкина комната нам досталась, а не ей. А тут еще Райка, племянница, чем-то не угодила, вот она и вызверилась на нас обеих и донос написала, что мы спекулянтки, на дому мастерскую открыли, одним словом, склока коммунальная в чистом виде. Но Райка успела меня предупредить, я все платки из дому унесла, а машинка швейная старенькая, подольская, ведь не криминал. Обыска у меня, правда, не делали. Когда участковый пришел, никакой мастерской не обнаружил, а только девчонку-студентку, одинокую, хорошенькую... Он, надо сказать, был неплохой дядька, мать мою знал как облупленную и меня пожалел, не стал дела заводить, только посоветовал поменять скорее квартиру. А Зинаиде дал по мозгам. Да еще и объяснил, что я молодая-перспективная, замуж выйду, детей кучу нарожаю, так что ей покоя не будет и неизвестно ведь еще, какой муж окажется...

Знаете, я, наверное, первый раз в жизни так подробно о себе рассказываю, сама не знаю почему, но вот говорю и понимаю, сколько хороших людей на моем пути встречалось, хотя и гадов тоже хватало. Сейчас любят говорить, что у нас хороших людей не осталось, только неправда это... Просто теперь гадом быть вроде не зазорно, некоторые даже гордятся, мол, смотрите все, какой я гад. Ну да ладно. На первых порах Зина-то присмирела, а потом стала пакостить как могла. Глупо, мелко, но жизнь мне отравляла. Я, например, наварю себе кастрюлю борща на неделю, чтоб не думать, а прихожу домой — кастрюля, чисто вымытая, на полочке стоит, как и не было борща. Я к ней, куда борщ девала, а она на меня глаза таращит, ты что, мол, какой-такой борщ? Сама же вчера кастрюлю мыла, неужто не помнишь? Ну и все в таком роде, даже вспоминать смешно... Тогда я участковому пожаловалась, а он и говорит:

— Татьяна, не стану я такой хренотой заниматься, других дел по горло, ищи обмен.

Наконец нашла я обмен, две свои большие комнаты на крохотную однокомнатную сменяла, да еще и с доплатой, материно кольцо, еще моим папкой подаренное, продать пришлось. Уж как я счастлива была, не передать!

Тринадцать метров комната и шесть кухня, а прихожей практически не было, но зато — сама себе хозяйка! И вот я в девятнадцать лет начала жить одна на новом месте. Близких — никого. Но мне вроде и не надо. Кругом у нас все девчонки влюблялись, а я как каменная. Но один раз позвала меня к себе на день рождения девчонка с курса. Она славная была, Сашей ее звали. Почему, думаю, не пойти? Сшила я ей в подарок пончо, красивое, клетчатое, нарядилась, глаза накрасила и пошла. Жила Сашка в хорошем доме на Сивцевом Вражке. Захожу в лифт, за мной мужчина какой-то. Спрашиваю, на какой ему этаж, оказалось, на девятый, как и мне. А он и говорит:

— Вы, девушка, случайно не к Саше на день рождения идете?

— Да, как вы догадались?

— А я ее папа.

Вдруг лифт крякнул и застрял. Намертво! И остались мы вдвоем. Я испугалась, а потом подумала: хорошо, что я тут не одна, одной страшнее было бы. Нажимает он на кнопку диспетчерской, а там глухо, никто не отзывается. Сашкин папа стучит. Зовет хоть кого, но все зря.

— Черт бы побрал эти современные лифты, — ворчит он. И продолжает стучать и кричать. Хоть бы хны. Наконец все ж таки кто-то услыхал, обещал позвонить в диспетчерскую, а потом даже передал, что надо подождать, механик скоро будет.

— Ну что ж, раз такое дело, давайте знакомиться. Меня зовут Никита Алексеевич. А вас?

— Таня.

— Вы очень красивая, Таня.

Я глаза на него подняла и обомлела. Уж не знаю, как это называется, то ли любовь с первого взгляда, то ли солнечный удар, то ли сексуальный шок, если говорить современным языком, только я вдруг забыла, что передо мной отец Сашки, то есть старик по моим понятиям, иными словами, мужчина за сорок. Но какой! Высокий, широкоплечий, загорелый, глаза большие, светло-серые, с темным ободком, волосы светлые. Меня аж затрясло. Вот стыдоба, думаю, только б он ничего не заметил...

В этот момент в сумочке у Тани зазвонил мобильник. Как всегда, на самом интересном месте, с досадой подумала я.

— Алло! — закричала Таня, видимо, было плохо слышно. И заговорила по-английски.

Как ни стыдно в наше время в этом признаться, но английского я не знаю. И потому понять, о чем говорила Таня, не могла. Но, наблюдая за выражением ее лица, догадалась — она чем-то не на шутку встревожена. Наконец она отключила телефон и залпом допила стоявший перед нею бокал вина.

— Извините, — сказала она, переведя дух. — Нигде не спрячешься, везде достанут. Фу, черт, придется завтра уехать.

— Уехать? Совсем?

— Совсем. Так все складывается... А жаль, мы хорошо с вами общались... Хотя, может, я вам и надоела до смерти? А вы умеете слушать, это редко бывает. Хотите, я вам свою дочку покажу? — Она вытащила из сумочки записную книжку в кожаном переплете. Но это оказалась не книжка, а маленький, карманный фотоальбом. В нем пять фотографий. И на всех девочка лет семи, совершенно на Таню не похожая, черненькая, с черными глазами, кудрявенькая.

— Какая хорошенькая! Как ее зовут?

— Кристина. А знаете, какая она умная? У нее блестящие способности к математике.

В голосе Тани слышалась естественная материнская гордость, но и, кроме того, печаль.

— Таня, она что, живет не с вами? — осторожно спросила я.

— Как вы догадались? Да, она живет с отцом, мы редко видимся...

Судя по фону, на котором были сделаны снимки, Кристина жила в очень неплохих условиях.

— Она живет не в Москве?

— Нет, — покачала головой Таня. — В Италии. Ее отец итальянец. Вот такие дела. А можно я задам вам один вопрос?

— Конечно!

— Вы писательница?

— Откуда вы знаете? — удивилась я.

— Я слышала вашу фамилию, когда мы только приехали, а потом увидала тут у одной девочки книжку. Детский детектив. «День большого вранья». Это вы написали, да? Вы детская писательница? Интересно было бы почитать, обожаю детские книжки... Наверное, поэтому вы и слушаете так внимательно? У вас ко мне профессиональный интерес? — В голосе Тани слышался некоторый вызов.

— Понимаете, мне трудно отделить человеческий интерес от профессионального. — И я попыталась ей объяснить, что одно без другого у меня не бывает.

Она слушала рассеянно, видимо, думала о своих делах. Я замолчала. Мне безумно хотелось узнать, что же было дальше, но она явно не желала продолжать рассказ, тем более что и время уже было позднее.

— А у вас нет с собой никакой вашей книжки?

— Нет, я не думала, что это кому-то тут понадобится, — засмеялась я. — Но если вам интересно, дам вам свой телефон, приходите в гости в Москве.

— Вы серьезно?

— Ну разумеется.

— Обязательно приду.

— Таня, а что, если я использую кое-что из ваших рассказов? Я сейчас собираюсь писать новую книгу...

— Детскую?

— Да нет, взрослую.

Она задумчиво на меня посмотрела.

— А что? Пишите! Мне не жалко!

— Таня, но ведь то, что вы рассказали, только завязка для романа, а что было дальше? — взмолилась я. — Хоть вкратце, совсем схематично расскажите...

Она лукаво посмотрела на меня.

— Зачем? Дальше вы сами придумайте! Может, у вас лучше получится!

Утром она уехала. Мы сердечно простились, обменялись телефонами. Она еще потребовала, чтобы я написала названия всех моих взрослых книг.

— Обязательно куплю и прочитаю от корки до корки! — пообещала она на прощание. — Надеюсь, у вас в книгах хороший конец?

Часть вторая
ЛЮБОВЬ

Глава 1
САШКИН ПАПА

...Вот стыдоба, думаю, только б он ничего не заметил. А у самой сердце в пятки, по спине холодный пот, ноги дрожат.

— Танечка, у вас что, клаустрофобия? Вам нехорошо? Вы что-то побледнели, — забеспокоился он.

А я обрадовалась. Какая отмазка клевая!

— Да, — шепчу еле слышно, — клаустрофобия...

— Э, да вы сейчас упадете. Держитесь за меня, вот так, не бойтесь, Танечка, нас скоро вызволят отсюда, и воздух тут проходит, видите вон ту щелку...

Он меня за плечи держит, обнимает, можно сказать, и говорит что-то ласковое, успокаивает, а я чувствую, что умираю от счастья и любви. И пахнет от него так приятно, хорошим одеколоном, немножко табаком и чуточку бензином, и руки у него такие сильные, красивые... Господи, думаю, только бы подольше тут с ним побыть.

— Ну, вам легче стало? Умница. Вот что, Таня, расскажите-ка о себе, в разговорах время быстрее пролетит. Вы что, с Сашкой вместе учитесь?

— Да.

— Геологом хотите стать?

— Да.

— Не очень подходящая профессия для женщины, я уж и Сашке говорил, но она уперлась. Упрямая, вся в меня, — смеется он. — А вы москвичка?

— Да.

— Значит, живете не в общежитии, да?

— Да.

— С родителями?

— Да. Ой, нет, я одна живу, родителей у меня нет.

— Ох, простите, я же не знал. Сашка о вас никогда не рассказывала. Вы давно дружите?

— Да нет, не очень. Я даже удивилась, когда она меня пригласила.

— Ну а парень у тебя есть? — вдруг спросил он каким-то другим голосом.

И тут я сразу поняла, что именно для этого человека себя и берегла.

— Нет, — говорю, — и не было никогда.

И осмелилась даже на него глаза поднять.

— Не верю, — говорит, — за такой красавицей парни должны табунами бегать...

— И бегают, только мне на них наплевать!

— Ух ты, как глаза-то сверкают, — улыбнулся он. —

Ничего, Таня, все еще у тебя будет, и принц на белом коне. Вы же все о принце мечтаете, даже самые умные.

Тут наконец явился механик и в два счета нас освободил.

— Ну вот и кончилось наше заточение, — смеется он. — Жива?

— Жива!

Поднялись мы с ним на два пролета, он ключом дверь открывает.

— Александра, я тут твою гостью выловил! — кричит он.

— Папа, мы уж волновались! Ой, Танечка, привет!

Квартира у них большущая. Никита Алексеевич ушел куда-то. Сашка меня к гостям потащила, там много знакомых, конечно, но и незнакомые лица тоже попадались. Музыка играла, стол шикарный, но пока все вокруг толклись, не садились. Сашка мой подарок развернула, на себя надела, вроде ей понравилось. Я села в уголочек, чтобы в себя прийти, а ко мне парень какой-то сразу клеиться начал. Оказалось, Сашкин школьный приятель, на филфаке учится. Только я его в упор не вижу. И тут стало мне интересно на Сашкину мать посмотреть.

— Саш, может, помочь надо, а? Ну на кухне там или что?

— Да нет, Танечка, все готово уже, только маму еще ждем.

— А мамы что, дома нет? — удивилась я.

— Нет, она вот-вот появится. Тань, обрати внимание вон на того парня, в синем свитере.

— А что?

— Он тебе нравится?

— Ничего, видный.

— Видный! Да он красавец настоящий, будущий киноактер, талант... Я по нему просто умираю... — шепчет Сашка.

А я сижу и думаю, что это все значит? Мы с ней сроду не откровенничали. А тут она меня мало что на день рождения пригласила, так еще и про своего парня рассказывает. Пригляделась я к нему. Ничего себе, красивый, но с Никитой Алексеевичем не сравнить. На Сашку поглядывает, улыбается ей нежненько, но и других девчонок вниманием не обделяет.

— Саш, а твои родители... они кто? — набралась я наконец то ли храбрости, то ли наглости.

— Папа у меня сценарист, а мама — киновед. Киношники, одним словом. Зато тетка у меня, сестра отца, геологиня, профессорша, такой клевый бабец! Она в Питере живет, преподает в университете. Я по ее стопам решила пойти, меня от киношников уже тошнит.

— А парня себе киношного выбрала, — засмеялась я.

— Ну и что? Профессия одно, а любовь другое. И потом...

Но тут вдруг Сашка вскочила с воплем:

— Мама пришла, садимся за стол!

Она побежала встречать маму, а я лихорадочно соображала: Сашкина фамилия Вдовина. Значит, скорее всего Никита Алексеевич тоже Вдовин. Никита Вдовин. Никогда раньше я в кино не обращала внимания на сценаристов, но киношники вообще казались мне почти небожителями, хотя в доме Медеи я встречала и киношников.

Но вот, наконец, все собрались и уселись за большой роскошный стол. Чего там только не было... Никита Алексеевич сидел с другой стороны стола и время от времени я ловила на себе его взгляд, как мне казалось, вполне равнодушный. От этого болело сердце. А потом, примерно через час, они с женой ушли, оставив молодежь на свободе. За все время он ни разу ко мне не обратился, не улыбнулся... Что ж, все правильно, думала я. Кто я такая для него? Сопливая девчонка, сокурсница его дочери, только и всего. Но он же назвал меня красавицей... Ну и что? Просто хотел подбодрить, боялся, что я грохнусь в лифте в обморок, возись потом со мной. Тут что угодно запоешь. А как у него вдруг голос изменился, когда он спросил, есть ли у меня парень... Подумаешь, остался в закрытой кабине с молодой девчонкой, вот в штанах у него и зашевелилось... Большое дело! Такой же кобель, как и все, только что породистый... Так я себя уговаривала, полагаясь на свой богатый жизненный опыт, а сердце все равно болело, и на вечеринке этой мне быстро стало тошно. Как только родители ушли, сразу началось: потушили свет, кто-то визжит, кто-то хохочет-заливается, что-то падает... Я под шумок вышла в прихожую, ищу свой плащ, а за мной Сашка выбежала.

— Тань, ты чего? Линять надумала?

— Саш, мне пора, ехать далеко, и еще я обещала соседке с собакой погулять, она болеет...

— Ты разве с соседями живешь?

— Нет, это соседка по площадке.

— Да ладно, Тань, не вредничай, посиди еще, потом тебя кто-нибудь из ребят проводит.

— Это вряд ли, они скоро уж лыка вязать не будут и мне еще их провожать придется. Я уж поеду. Спасибо, Саш, мне у тебя понравилось. Ты тоже ко мне в гости приходи, я буду рада...

— Тань, а можно я у тебя одну вещь спрошу?

— Спрашивай!

— Тань, ты сможешь мне дать ключ от своей квартиры? Не сейчас, конечно, но вообще, в принципе?

Ах вот зачем меня позвали!

— Трахаться с этим киношником? — напрямик спросила я.

— Ну ясное дело, зачем же еще, — засмеялась она. — Так дашь или не дашь?

— Не дам! — отрезала я. — Мой дом — не бардак!

— Тань, ты чего? У нас же любовь...

— Если он тебя любит, пускай сам думает, где тебя трахнуть. Но я тебе не советую! Поматросит и бросит! Все, пока!

Я выбежала на улицу, стою, продышаться не могу от обиды и себя ругаю: дура набитая, ты что думала, тебя за красивые глаза в гости позвали ни с того ни с сего? А теперь еще и врага себе нажила, и Никиту Алексеевича никогда больше не увижу... Я чуть в голос не завыла, хоть обратно беги, ключи предлагай... Но, конечно, никуда не побежала, а медленно побрела к метро. Неужто это любовь на меня свалилась, любовь с первого взгляда? А он мне в отцы годится, у него жена есть, красивая, кстати, хоть и старая, конечно. Одета, дай бог на Пасху, элегантная, ухоженная. И дом у них — полная чаша, домработница есть. Оказывается, это она стол приготовила, а я-то, дура, хотела на кухню попасть, на Сашкину мать поглядеть. Поглядела... Сашке девятнадцать стукнуло, значит, уж точно лет двадцать они с Никитой Алексеевичем женаты. Валюша, Валечка, Валентина Ивановна. Киновед. У них интересы общие, всегда есть о чем поговорить, а я? Какой ему во мне интерес? Только что я молоденькая еще, свежая, но у них в кино таких до фига и больше, и в сто раз красивее меня. Нет, Танька, ничего тебе тут не светит...

Прихожу домой — и первым делом к соседке. Я и вправду с ее собакой гуляю, пока у нее ангина. Собака красивая, породы колли, Митчеллом зовут, а сокращенно Митькой. Хожу я с Митькой по скверу и реву. Чего реву и сама не знаю, то ли от любви, то ли от обиды, но все-таки больше от любви... И от безнадеги.

Но ничего, время, как говорится, лечит. Сашка на меня вроде зла не держит, здоровается. Я тоже здороваюсь, но стараюсь держаться подальше. Прошла, наверное, неделя, я успокоилась, даже самой смешно, какая я дура была... И вот как-то прихожу я домой поздно вечером с целой сумкой платков, мне одна женщина с фабрики их таскала по дешевке. Устала, далеко мотаться пришлось. Вот хорошо, думаю, сейчас поем — и в койку! И тут телефон звонит, а время уж двенадцатый час.

Снимаю трубку, а там молчат. Кричу:

— Алло, говорите, вас не слышно.

— Здравствуйте, Таня.

Я так и села. Сразу голос узнала, но ушам своим не поверила.

— Это кто? — спрашиваю.

— Таня, это Никита Алексеевич, мы с вами на той неделе в лифте застряли... помните?

Не сказал «Я Сашкин отец», мгновенно сообразила я, значит, с ней этот звонок не связан.

— Да, здравствуйте, — говорю, а голос какой-то деревянный, как и не мой вроде.

— Вы, наверное, удивлены, Танечка?

— Ну вообще-то да.

— Таня, у меня к вам предложение.

— Какое?

— Давайте встретимся, хотите завтра в кино пойти на «Покаяние», слыхали про такой фильм?

— Да, конечно, слыхала... — И не соврала, тогда про этот фильм все говорили, но почти никто еще не видел. — Хочу, да, спасибо.

— Но это дневной просмотр, Таня, вы сможете?

— Смогу, конечно смогу!

Короче говоря, договорились мы встретиться в полтретьего у метро «Университет», он обещал за мной на машине заехать. Когда я трубку повесила, думала, с ума сойду. Что ж это такое? И как он меня нашел? И еще как это понимать? Он меня на свидание пригласил или просто в кино? В голове туман, в сердце маета, в ногах слабость... И такая потребность хоть с кем-то поделиться, но не с кем, хоть волком вой. И вдруг я подумала, что могу позвонить Райке. Она учится в ГИТИСе на отделении музкомедии и в таких вещах, наверное, разбирается, но одно я понимала четко: называть Никиту Алексеевича я права не имею. Посмотрела на часы — без четверти двенадцать. Собралась с духом и позвонила, решив, если подойдет не Райка, брошу трубку. Но подошла Райка, и голос у нее совсем не заспанный был.

— Рай, привет, не спишь?

— Татьянка, ты? Что стряслось?

— Раечка, посоветоваться нужно. Ты сейчас говорить можешь?

— Могу, у мамы там подружки сидят, о своем о девичьем толкуют, им не до меня, так что валяй, советуйся. Втюрилась, что ли?

— Да нет, понимаешь, меня завтра один тип в кино пригласил...

— Ну так чего тут советоваться, Тань? Тип ничего себе? Кино хорошее? Так иди. Если хочешь, конечно, а не хочешь — пошли его куда подальше. В чем проблема?

— Рай, а ты смотрела «Покаяние»?

— «Покаяние»? Он тебя на «Покаяние» пригласил? Танька, беги, даже не задумывайся, все кругом про этот фильм талдычат, но никто не видел пока, но говорят, потрясающая картина, мне один парень сказал со слов своего дядьки, который какой-то чин в Министерстве культуры, что, если этот фильм разрешат, значит, уже все разрешить могут... Тань, а кто это у тебя такой борзый завелся? И где просмотр будет, колись? Может, и я туда протырюсь?

— Рай, я не знаю, мы просто договорились встретиться, а где, что — не знаю.

— Во сколько встречаетесь?

— Полтретьего.

— Тьфу ты черт, никак не смогу... Так кто этот тип?

— Да я и сама толком не знаю, познакомились на той неделе, я и не думала, а он вдруг звонит...

— Вдруг? А телефончик у него откуда?

— Сама не знаю, я не давала.

— Надо же, борзый какой. А сколько ему годочков? Старый небось?

— Почем я знаю, но не молоденький.

— А ты ж вроде молоденьких и не любишь?

— Райка, при чем здесь любишь не любишь?

— Слушай, подруга, вот что... Либо колись, в чем дело, либо я пойду, а то мычишь незнамо что, правду говорить не хочешь, тебе просто поделиться охота? Вопроса не наблюдаю!

Но я уже малость пришла в себя и говорю:

— Вопрос в том, как одеваться?

— О, это уже конкретно! — засмеялась Райка. — Днем, на моднючий фильм, да еще неясно, может, и запрещенный... — задумчиво проговорила Райка, — значит, скорее всего в каком-нибудь творческом клубе, в доме архитекторов, к примеру... Тогда надевай что угодно. Можно подумать, у тебя шкафы от туалетов ломятся. А свое пончо слабо надеть?

— Почему? Можно, я, кстати, себе черное сделала, красиво смотрится.

— Совсем черное, без рисунка?

— Ага.

— А что, идея клевая... Тань, я тоже черное хочу! Его же на что хочешь можно надеть, на любую водолазку, на блузку... Кайф! Сделаешь?

— Без вопросов!

— Тань, в таком случае еще ряд советов, бесплатно! Во-первых, сильно не малюйся, днем неприлично считается, украшений никаких, ну можно маленькие сережки и колечко скромненькое какое-нибудь...

— Рай, ты чего? Откуда у меня украшения? Одно кольцо материно было, так я его загнала, сама, что ли, не знаешь?

— Знаю, но я на всякий случай. Вдруг твой поклонник тебя уже брюликами увешал.

— Ты чего, офонарела?

— Шучу. Да, а духи у тебя какие?

— «Может быть».

— Не пойдет!

— Почему?

— Дешевка, и не модно уже, прошлый век... Слушай, если хочешь, заезжай ко мне, дам подушиться, у меня французские, «Же Озе». Но только если рано утром.

— Да нет, не надо, я лучше вовсе душиться не буду.

— Ну и правильно, пусть лучше от тебя чистотой пахнет и невинностью, ты ведь у нас еще невинная?

— Райка, кончай!

— Танька, откуда невинная девушка такие неприличные слова знает?

— Да ну тебя, Райка! Вечно ты...

— Слушай, Татьянка, это что же, большое и светлое?

— А если и так! — рассердилась я.

— Ой, Таня, расскажи!

— Нет, пока не о чем рассказывать, мы виделись один раз.

— Но потом расскажешь, после свиданки? Кстати, после фильма он вполне может тебя в ресторан пригласить, ты в ресторане когда-нибудь была?

— Конечно, сколько раз, с Медеей еще и с ее родителями, — всхлипнула я.

— Ну вот, ты расстроилась! Не смей реветь, ты должна завтра классно выглядеть. Голову обязательно помой, и еще, глаза красить умеешь? Какая у тебя тушь?

— Самая обычная, в которую плевать надо.

— Слушай сюда: ты перед тем как тушь накладывать, глаза попудри, то есть реснички, тушь наложи, дай минутку просохнуть, опять попудри и опять тушь, и так раза три-четыре, глаза такие мохнатенькие будут, он с ума спятит, твой поклонник! У тебя пудра-то есть?

— Есть, только компактная.

— Ничего, сойдет! Еще вопросы будут?

— Нет, наверное...

— Тогда, ладно, Танюшка, я спать хочу, умираю. Ни пуха ни пера!

— К черту!

Глава 2
ЛЮБОВЬ-МОРКОВЬ

На лекции я, конечно, не пошла, все утро занималась собой и на всякий случай отдраила квартиру. Вдруг он пойдет меня провожать? Вернее, поедет, у него же машина, но все равно. Наконец все было убрано, но обстановка казалась такой убогой по сравнению с его квартирой, что я чуть не расплакалась и решила ни за что его сюда не пускать. А когда глаза накрасила Райкиным способом, понравилась себе ужасно. Надела черные брюки, беленькую бакинскую водолазку, черное пончо и подумала: девчонка — класс! И плевать на мебель!

К метро «Университет» я примчалась в пять минут третьего, задыхаясь от волнения. Прошлялась минут десять вокруг метро, то и дело поглядывая на часы. И вдруг меня просто затошнило. От страха, что ли? Но я тут же сообразила, что ничего сегодня не ела. Хорошенькое дело, надо срочно хоть что-то сжевать. Неподалеку продавали пирожки с мясом. Я хотела купить, но вдруг вспомнила, как одна моя знакомая отравилась такими пирожками, так что в больницу попала. Обычно меня такие рассказы не пугают, но тут одна мысль, что в разгар фильма прихватит живот, повергла меня в панику. Но голод не тетка, и я купила первую попавшуюся булку, сжевала ее, едва не подавившись. А запить было нечем. И я начала икать. Просто напасть какая-то, икаю, не могу остановиться. Смотрю на часы — половина третьего. Сейчас он подъедет, а я икаю! И тут же услышала его голос:

— Таня!

От ужаса я замерла, боясь даже обернуться. И хотела броситься наутек, но он схватил меня за руку:

— Куда?

Я ахнула и перестала икать. С перепугу! Он стоял передо мной и ласково улыбался.

— Танечка, привет!

— Здрасте!

— Пошли, у меня тут машина.

У него была белая «Волга», показавшаяся мне просто верхом роскоши. Он усадил меня, закрыл дверцу и сел за руль.

— Ишь как глаза наваксила, — улыбнулся он, а я залилась краской. Я чувствовала себя совершенно несчастной. — Но тебе идет, ты такая красивая, глаз не оторвать. Значит так, сейчас мы едем на просмотр, а потом посидим где-нибудь, идет? Таня, не надо меня бояться, я девочек не обижаю, честное благородное слово.

— А почему вы... почему вы...

— Хочешь спросить, почему я пригласил именно тебя?

— Да, — еле слышно пролепетала я.

— Объясняю: я этот фильм уже видел, моя жена тоже, Сашка со мной никуда ходить не желает, почему, не знаю. А мне страшно хотелось еще раз посмотреть фильм в компании непрофессионала, человека молодого, со свежими мозгами, так сказать... Вот я и вспомнил об очаровательной девушке, с которой застрял в лифте.

— А телефон... Вам Саша дала?

Он засмеялся.

— Нет, я сам нашел.

— Как это?

— Взял ее записную книжку, посмотрел на букву Т, а там один Тимур, три Тамары и всего две Тани. Но вторую Таню я знаю, это моя двоюродная сестра, так что все оказалось несложно.

...Народу было видимо-невидимо, Никите Алексеевичу с трудом удалось поставить машину, и не успели мы выйти, как кто-то сразу подскочил, спросил лишний билетик. Пока мы пробивались ко входу, билетики спрашивали каждую секунду, одним словом, ажиотаж был тот еще! Никита Алексеевич взял меня за руку, как маленькую, и тащил за собой, потому что в этой толпе я спотыкалась на каблуках. Наконец мы вошли. Он то и дело с кем-то здоровался.

— Тебе перед сеансом никуда забежать не надо? — тихонько спросил он.

Я обомлела от стыда, а он говорит:

— Нечего стесняться, мы все живые люди, иди вон туда, я буду тебя ждать у той колонны. Да не задерживайся.

Я, как глупая собачонка, побежала в туалет, раз хозяин велел, но при этом я была ему безумно благодарна, мне еще в машине захотелось, но я приготовилась терпеть сколько понадобится, а он обо всем позаботился. Но с другой стороны, может, это означает, что ему на меня наплевать как на женщину, вернее, на девушку? Я так была воспитана, что при мальчиках о таких вещах говорить нельзя ни в коем случае... Но он-то не мальчик, у него такая дочь, как я, и он все понимает. А я его за это люблю больше жизни. Я вдруг так отчетливо это поняла в клубном сортире... И еще подумала: раз он так обо мне заботится, значит, тоже любит меня? Хотя за что ему меня любить? Но тут я глянула в зеркало, и мне показалось, что меня есть за что любить...

— Какая ты красивая, Таня! — сказал он, когда я подошла. — Ну, пошли. — Он взял меня под руку и повел в зал. Когда погас свет, он шепнул: — Таня, я понимаю, что ты сейчас чувствуешь, но прошу, забудь обо всем и смотри фильм, как будто меня тут нет.

У меня кровь в лицо бросилась! Ну, думаю, дела! Но я тут же решила сделать вид, что ничего не поняла, и смотреть фильм.

Ах, что это был за фильм! Я и вправду обо всем забыла. Многого, конечно, не понимала, но чувствовала — это настоящее... И еще мне безумно понравилась актриса, которая играла взрослую Кети, она была такая удивительная, элегантная, красивая, аристократичная и чем-то напоминала тетю Нуцико. Один раз она тоже испекла такой громадный красивый торт на шестнадцатилетие Медеи... У меня текли слезы и щипало глаза от туши, но я боялась вытирать лицо, чтобы не размазать тушь окончательно. Уже перед концом фильма Никита Алексеевич вдруг сунул мне в руку платок. Но я боялась шелохнуться, и, когда зажегся свет, он взял платок у меня из рук и сам вытер мне лицо. Ни слова не говоря. А потом опять взял меня за руку, чтобы я не потерялась. Люди выходили потрясенные, взволнованные. Какой-то человек, чье лицо показалось мне очень знакомым, хлопнул Никиту Алексеевича по плечу.

— Да, старичок, если это пойдет широким экраном, я уж ни за какие устои не поручусь... А это твоя дочка?

— Нет, племянница, — сухо отозвался Никита Алексеевич.

— Ах, вот как, племянница, — насмешливо повторил тот тип, — ну-ну, сделаю вид, будто поверил! Пока, приятель!

В гардеробе Никита Алексеевич подал мне пальто, это было так приятно. Когда мы сели в машину, он спросил:

— Ну как, Таня?

— Я не знаю, как сказать... Я не все поняла, наверное, но ужасно хочу посмотреть еще... А как фамилия этой артистки, ну которая играет Кети?

— Боцвадзе, Зейнаб Боцвадзе. Удивительно хороша. А ты всегда в кино плачешь?

— Нет, очень редко.

— Ну хватит пока об искусстве, поехали обедать. Была когда-нибудь в Доме литераторов?

— Нет.

— Довольно приличный кабак. Голодная?

— Нет, спасибо. — А у самой уж живот подвело.

— Да ладно, небось с самого утра маковой росинки во рту не было, — засмеялся он. — Танечка, не надо стесняться. В ресторан ходят, чтобы поесть. И если тебе чего-нибудь захочется, говори, не мучайся. И не красней, хотя тебе это идет. Откуда ты такая, Таня?

Мы довольно быстро добрались до улицы Воровского. Спустились в подвальчик, он помог мне снять пальто, сдал его, мы опять поднялись, прошли мимо какой-то строгой тетки за столиком, которая мило улыбнулась Никите Алексеевичу, как доброму знакомому, и вошли в зал ресторана. Там было очень красиво — обшитые деревом стены, много резьбы, лестница наверх, камин, высокое окно с цветными стеклами, и народу много, и пахнет вкусно...

Столики в основном на четыре человека или на шесть, только справа у стенки два столика на двоих, один занят, а на втором табличка «Стол заказан». Вот за этот столик он меня и усадил.

— Ой, а разве можно? — испугалась я.

— Можно, можно, это я столик заказал.

У меня сердце трепыхнулось. Надо же, для меня столик заказал! Он сам взял с соседнего столика меню и протянул мне.

— Таня, смотри на названия блюд, а не на цены, уверяю тебя, этот обед меня не разорит.

— Лучше вы сами...

— Хорошо. Давай мы с тобой немножечко выпьем за знакомство, а?

— Вы же за рулем?...

— Немножко можно. Ты что пьешь?

— Ничего не пью.

— Нет, давай по рюмочке для храбрости. Думаешь, мне не страшно с тобой, такой молоденькой, такой красивой, что дух захватывает?

Тут к нам наконец подошла толстая тетка в белом фартучке.

— Никита, здравствуй!

— Привет, Ритуля! Покормишь? Мы голодные жутко!

Официантка скользнула по мне взглядом и вынула из кармашка блокнот.

— А почему она вам «ты» говорит? — спросила я, когда она приняла заказ.

— Потому что я сюда еще студентом бегал, и она тогда уже работала. Красивая была, мы все за ней увивались. Что время делает с людьми...

Он замолчал. В этот момент через зал прошел высокий мужчина в немыслимо ярком свитере. Он показался мне знакомым.

— Кто это? — шепотом спросила я.

— Евтух!

— Кто? — не поняла я.

— Евтушенко, слыхала про такого?

— Господи, конечно! — задохнулась я.

— Ты небось его стихи наизусть знаешь? — усмехнулся он.

— Два стихотворения, правда, знаю, у меня пластинка его есть, Милочка очень любила слушать, как он читает «Со мною вот что происходит!» и «О, свадьбы в дни военные, обманчивый уют», — поспешила я блеснуть эрудицией.

— Да, читает он стихи здорово, этого у него не отнимешь.

Я так поняла, что остальное все у Евтушенко можно отнять, хотя мне его стихи нравились... Но спорить я не стала.

Нам принесли закуски и маленький графинчик с водкой. Никита Алексеевич налил водку в две рюмки. Положил мне на тарелку красной рыбки, тарталетку с сыром, половинку вареного яйца с красной икрой, даже намазал маслом кусок калача.

— Танечка, давай выпьем по чуть-чуть за нашу встречу.

— Я не могу... Можно я не буду пить, я лучше лимонаду...

— Таня, ты же будущий геолог, непьющих геологов я лично никогда не видел! Уверяю тебя, от рюмки ничего с тобой не случится.

— Хорошо, — кивнула я со страхом. Давным-давно Милочка взяла с меня клятву, что я никогда не буду пить водку. Но ради Никиты Алексеевича я готова была стать клятвопреступницей. И стала. Выпила полрюмки и сморщилась от отвращения.

— Закуси скорее!

Он взял тарталетку и сунул мне в рот. Тарталетка оказалась необыкновенно вкусной!

— Танечка, с боевым крещением! — улыбнулся он.

А мне вдруг стало хорошо, такое тепло разлилось внутри, что еще полрюмки я выпила уже значительно спокойнее и сама заела бутербродом с рыбой.

Потом мы ели ужасно вкусный борщ из металлических мисочек, а когда принесли котлету по-киевски с резной бумажкой на косточке и с сухой мелко наструганной картошкой, я была уже совсем другой. Мне казалось, что все это нормально, в порядке вещей сидеть в ресторане с немолодым мужчиной, у которого в глазах такая нежность, что больше всего на свете хочется прижаться к нему, закрыть глаза и слушать, что он говорит... А он говорил о фильме, объяснял мне то, что я не поняла, а еще говорил, что скоро жизнь переменится, и неизвестно еще, к лучшему или к худшему, что Россия страна, не созданная для демократии и... А потом взял мою руку и поцеловал.

А я вдруг собралась с духом и задала ему вопрос:

— Никита Алексеевич, а почему все-таки вы меня пригласили, только честно!

— Честно? Ну, если честно... Потому что я в тебя влюбился как дурак! И еще потому, что после того, как мы с тобой застряли в лифте, у меня кончилась депрессия, я снова начал работать, как раньше, а до того уже месяц не мог писать... А еще, если честно, я всегда именно такой представлял себе свою любовь, с юности, нет, пожалуй, даже с отрочества... Русые волосы, синие глаза, курносый носик с веснушками... Вот так, если честно. Хотя понимаю, что гожусь тебе в отцы.

От его слов у меня кружилась голова, хотелось подпрыгнуть до потолка, петь, кричать... Такого со мной еще никогда не бывало, и я вдруг отчетливо поняла, что именно это и называется счастьем.

— Ты почему глаза закрыла? — вдруг спросил он.

— От счастья!

— Боже ж ты мой, что я делаю! Таня, ты...

— Я тоже в вас... С первого взгляда... Там, в лифте...

— Это плохо, Таня, очень плохо, — вдруг тихо произнес он.

Я сразу открыла глаза.

— Плохо? Почему?

— Потому что у меня дочка твоя ровесница, потому что я старый для тебя, потому что мне, собственно, нечего тебе предложить, кроме моей любви. А тебе это не надо...

— Надо, еще как надо!

— Нет, тебе кажется. Я... У меня нервы ни к черту, я дерганый, злой, мнительный, я исписался уже... Все, что я сочиняю, никому на фиг не нужно. Через пять–десять лет никто и не вспомнит, что был такой сценарист Вдовин. Теперь нужно другое кино, а я отстал от этого поезда...

Пьяный он, что ли? Но мы совсем немножко выпили, а он окосел. Может, он алкаш? — вдруг испугалась я. Но нет, алкашей я навидалась, он не похож... Просто он — творческая личность, а у них вечно что-то не так, сколько я про это читала, и в кино видела, и в театре...

Он молча допил водку, закурил. Мысли его были где-то далеко. Я сидела как мышка, боясь проронить словечко. И мне вдруг захотелось домой, я поняла, что все хорошее, приятное уже кончилось, и чем скорее я попаду домой, тем скорее смогу пережить все это снова, сама с собой, вспоминая каждую секунду...

— Никита Алексеевич, мне, наверное, пора... Я... Можно я пойду?

— А? Что? Куда пойдешь?

— Домой... Мне заниматься надо, скоро сессия...

— Прости, прости, девочка, я задумался. Нет, никуда тебе не надо, врешь ты все... И заниматься не сможешь. Придешь домой и начнешь все вспоминать... Знаю я вас, молоденьких девочек... Нет, сейчас я закажу тебе мороженое, любишь мороженое? Хотя глупый вопрос, кто ж не любит мороженое? Ритуля, поди сюда! Будь добра, принеси нам мороженого и кофе, будешь кофе? Будешь.

И вдруг у меня остановилось сердце: к нашему столику подходила Валентина Ивановна, его жена. От страха я вся сжалась.

— Никита, какая встреча! Ты уже пообедал? Тебя искал сегодня Ахмадов, звонил раз десять, у него что-то срочное, и еще Телешов просил немедленно с ним связаться.

Когда она подошла, он сразу встал, и разговаривали они стоя. А я сидела, боясь даже дышать, но Валентина Ивановна меня как будто и не замечала и наверняка не узнала...

— Хочу еще напомнить, что завтра с утра тебе надо быть в Госкино!

— Спасибо, я все принял к сведению.

— Замечательно! Приятного аппетита!

С этими словами она удалилась.

— Сука! — выдохнул он, покачал головой и невесело рассмеялся. — А ты чего побледнела? Боялась, что тут будет драка с мордобитием? Ну что ты, мы не так воспитаны, мы из хорошей семьи, у нас все всегда тихо, вечный штиль... А вернее, мертвая зыбь. Знаешь, что такое мертвая зыбь? Нет? И не надо тебе знать. Ты не такая, да? Ты бы на ее месте небось по морде бы мне дала? Нет? Скандал бы устроила? Или просто притворилась бы, что тебя тут не было?

— Не надо, пожалуйста!

— Ох, ты права, милая моя! Прости, все это отвратительно, пошли отсюда! А впрочем, все даже к лучшему. Ты сама убедилась, что от меня одни только неприятности всем. И тебе, и ей, этой иезуитке... Тьфу!

Мы оделись, вышли, сели в машину.

— Ну, куда прикажете, барышня?

— Домой.

— А точнее?

— Вы меня до метро какого-нибудь подбросьте, если можно.

— До метро нельзя. Где ты живешь?

— В Кузьминках.

— Отлично, едем в Кузьминки. Или ты боишься, что я «пьяный за рулем»?

— Ничего я не боюсь...

— Ты хорошая храбрая девочка.

Мы ехали молча. Я вдруг так устала, как будто целый день на мне воду возили. И ничего уже не хотела, никого не любила. Ну его к черту...

— Вот ты где, значит, живешь, — сказал он, когда мы подъехали к моему дому. — На каком этаже?

— На последнем.

— Ага, понятно. В гости не пригласишь?

— Зачем?

— Умница, все правильно. Ладно, девочка, прости, если что не так... Хотя, впрочем, почти все было не так, но ты прости. И забудь всю эту лабуду... Любовь-морковь... Чепуха это, игра воображения, но ты хорошая, красивая, и дай тебе Бог счастья!

— И вам тоже! До свиданья!

Я выскочила из машины и бегом бросилась к подъезду. Лифт опять не работал, я побежала вверх по лестнице и только между шестым и седьмым этажом остановилась перевести дух. Глянула в окно. Белая «Волга» все еще была там. А рядом стоял он и смотрел вверх. Я хотела броситься обратно, к нему, но тут он швырнул что-то в лужу, наверное, окурок, сел и уехал. А я еле доплелась до своего девятого этажа, открыла дверь квартиры и прямо в пальто села на табуретку в кухне. Мне хотелось завыть в голос, но я знала, что на вой примчится соседка, залает Митька, да и вообще... Нет, ничего я вспоминать не буду. Наоборот, постараюсь забыть как можно скорее, не пара мы с ним, это и козе понятно. Хорошо, что я это быстро поняла, а то натворила бы дел. А так... Сходила в кино, в ресторан, и не в какой-нибудь, а в ЦДЛ, кучу живых писателей видела, даже Евтушенко, и хватит с меня. Кто я такая? Девчонка из Кусьё-Александровского Горнозаводского района Пермской области. И должна радоваться, что учусь в МГУ, что у меня отдельная квартира в Москве, что я красивая, наконец, вон, даже знаменитый сценарист со мной кадрится, чем плохо? А любовь... Ну, значит, не судьба. Поживем, еще кого-нибудь полюбим, куда денемся? Кого-нибудь помоложе, попроще, без этих штучек... И, главное, без жен и дочек. Все! К черту, к черту, к черту!

Но принять решение — это одно, а вот выполнить его... Ночью я ворочалась в постели, никак заснуть не могла, вставала, пила горячую воду с медом, как когда-то Агния. И такая тяжесть на душе, а заплакать не получается, может, заплакала бы, стало бы полегче... Но что ж делать, все равно жить надо. Утром потащилась на лекции и по дороге от метро сразу на Сашку наткнулась. У меня сердце в пятки ушло, а она ничего, привет, мол, Таня, и даже что-то про конспект по химии спросила.

— Тань, ты не заболела, у тебя вид какой-то странный?

— Нет, просто не выспалась.

— Тань, слушай, ты на меня обиделась, да? Извини, я была свинья свиньей, нельзя так было... Не злись, ладно?

— Я не злюсь, я понимаю, ты тоже не злись на меня...

— Вот и отлично! Между прочим, ты моему папашке очень понравилась.

— Да? — каким-то неживым голосом спросила я.

— Ага! Он потом сказал: твоя подружка настоящая русская красавица, а он у нас ба-альшой специалист! — засмеялась Сашка.

Но тут кто-то окликнул ее, и разговор оборвался.

Ну и черт с ним, мысленно сказала я, и, как ни странно, мне стало легче. «Ба-альшой специалист», по-видимому, означает «страшный бабник»! А нам такие ни к чему, правда же?

Глава 3
НЕСТАРАЯ ДЕВА

Прошло две недели, до Нового года оставалось всего-ничего. Я вовсю грызла гранит науки, хотя после истории с Никитой Алексеевичем мне совершенно разонравилась геология. Но я же упрямая и начатое люблю доводить до конца, к тому же настроения разные бывают, да и сессию нельзя провалить, стипендия хоть и маленькая, а все же деньги...

Как-то вечером позвонила мне Райка, мы с ней после того разговора не перезванивались.

— Татьянка, ты не забыла про черное пончо?

— Вообще-то забыла, у меня сессия на носу.

— Ладно, это не срочно. У меня к тебе дело. Ты Новый год где встречаешь?

— Нигде. Не до того, сессия и настроения нет...

— Ой, а как у тебя с тем мужиком, ну помнишь, он тебя на «Покаяние» приглашал?

— Да никак. Зануда он.

— А! Тань, а хочешь, приходи ко мне, мамашка на праздники сваливает в дом отдыха, у меня наши соберутся, нехилая компания. Будущие звезды советской оперетты! Человек восемь — десять, приходи, а? Мне, между прочим, педагог по вокалу сказал, что я делаю большие успехи!

— Поздравляю!

— Танька, ты чего, в миноре?

— Да нет, просто живот болит.

— Марганцовочки слабенькой хлебни, как рукой снимет. Танька, а я с таким парнем познакомилась, охренеть можно! Летчик! Ему так форма идет! Летает, между прочим, в загранку! Не хухры-мухры! Зовут Владиком. А глаза — закачаешься. Точь-в-точь черные вишни! Обожаю черноглазых! Владик, между прочим, от меня тащится! Я ему спела, он вообще лапки кверху. Говорит, у тебя, Раечка, голос такой же сексуальный, как у Елены Образцовой!

— Ого!

— А что, нехилый комплиментик!

— Да уж!

— Ну что, Тань, придешь?

— Не знаю.

— Нет уж, ты скажи, понимаешь, мы в складчину праздновать собираемся...

— Это понятно, а по сколько с носа?

— Думаем, по чирику. По-моему, нормально.

— Наверное...

— Ну так что?

— А летчик твой придет?

— Нет, он к родным в Оренбург уедет, у него сестра замуж выходит. Но ничего, у нас и так парней хватит, не волнуйся! Можешь запросто невинность потерять. Давно пора, между прочим!

— Рай, это не твое дело, по-моему!

— Почему это не мое? — искренне возмутилась Райка. — Старые девы отравляют атмосферу!

— Дура ты! Я хоть и дева, но еще не старая!

— Старая, старая! Тебе скоро двадцать! Двадцатилетняя девушка — позор и несчастье любой компании! И с этим надо бороться.

— Тогда я точно не приду!

— Тань, ты чего, я же пошутила! — огорчилась Райка.

— Если б я не понимала, что ты шутишь, вообще не стала б с тобой разговаривать!

В результате я согласилась пойти в компанию Райки. Чем сидеть одной у телевизора, лучше быть среди веселых людей и не думать, где встречает Новый год Никита Алексеевич. Скорее всего, в Доме кино. А может, дома, с семьей или у друзей... Да какая мне разница, главное, что не со мной.

Тридцать первого часов в десять утра в дверь позвонили. Я сразу открыла, думала соседка. На пороге стоял Дед Мороз! Настоящий Дед Мороз в красном халате, в колпаке, с белой бородищей. Только росточком не вышел.

— Извиняюсь, Таня Шелехова здесь живет?

— Это я.

— Вы? Значит, я к вам!

— Это какая-то ошибка! Зачем мне Дед Мороз? — засмеялась я. — Вы что-то перепутали!

Дед Мороз достал из кармана очки и сверился с бумажкой.

— Вот, смотрите сами, никакой путаницы! Черным по белому написано.

Действительно, в квитанции был указан мой адрес. И еще там было написано: поздравить Таню Шелехову!

— Убедились?

— Ну!

— Так впустите меня, я буду вас поздравлять и вручать подарки!

— Еще чего! Откуда я знаю, что вы не бандит? Тоже мне! Не пущу, и не мечтайте! Обойдусь без дурацких поздравлений! — вдруг разозлилась я.

— Хрен с тобой, не буду поздравлять, но подарки все же возьми, а то у меня неприятности будут!

— Да какие подарки? От кого?

— От поклонника, наверное, ты красивая, зараза. Ну, бери подарки и распишись!

Он буквально силком всучил мне пакет и побежал вниз по лестнице.

Я держала этот пакет и боялась его открывать. Наверняка чья-то идиотская шутка! Но любопытство все-таки оказалось сильнее страха, и для начала я ощупала содержимое пакета. Какая-то коробка, плоская, еще коробка, потолще, и сверток. У меня вдруг все оборвалось внутри. Я заглянула в пакет. Достала оттуда коробку шоколада, потом сверток, потом вторую коробку, там оказалась бутылка «золотого» шампанского, а еще довольно большой конверт. Сердце ухнуло куда-то. Только один человек на свете мог прислать мне такое! Я завизжала, подпрыгнула, закружилась по комнате! Потом схватила сверток, разорвала бумагу... Платье! Голубое вязаное платье из совсем тонкой шерсти, мягонькое, заграничное. Я чуть с ума не сошла и уже содрала с себя майку, чтобы примерить, но тут вспомнила про конверт. А вдруг это все же ошибка и все подарки не мне предназначаются, в конце концов вполне может оказаться, что в нашем доме живет еще одна Таня Шелехова. Я разорвала конверт. Там лежал... билет на самолет, двадцать пять рублей и записка: «Таня, милая моя девочка, прости, если можешь, старого дурака! Смертельно хочу тебя увидеть, и если то, что ты сказала мне тогда в ЦДЛ , правда, то сядь в самолет и прилетай ко мне в Таллин, встретим вместе Новый год, тут сказочно красиво... А если ты не простила меня, то надень на праздник это платье, выпей шампанского, съешь конфетку и помяни добрым словом глупого дядьку, который сходит по тебе с ума. Я буду ждать тебя в аэропорту. Но если у тебя другие планы... Что ж, так мне и надо».

Я схватила билет. Он был на мое имя. Время вылета — восемнадцать часов. У меня не было и секунды сомнений. Конечно, я полечу! Боже, какое сумасшедшее невозможное счастье — встретить Новый год с ним в Таллине в новом платье, оно такое красивое! Ох, надо же его примерить, вдруг мало или велико или его надо подкоротить? Но платье сидело как влитое, красиво облегало фигур, и было такое уютное, и так мне шло... Я вертелась перед зеркалом, а в голове не было ни единой мысли, меня всю переполняло счастье и любовь! В дверь опять позвонили. Господи, а это еще кто? На пороге стояла Райка.

— Привет! Ой, Танька, какое платье! Опупенное! Где взяла?

— Рай, ты откуда?

— Тань, ты что, башкой треснулась? Мы ж договорились, что ты мне платье подкоротишь, забыла, что ли?

— Ой, мамочки, и вправду забыла! Давай, проходи!

Я хотела припрятать подарки, чтобы не отвечать на вопросы, но не успела.

— Танька, что тут у тебя? Конфетки, шампусик, это откуда все? У тебя богатенький Буратинка завелся, а ты молчишь, тихушница? А ну колись!

— Да мне это... подарили...

— Понятное дело подарили! Вопрос в том, кто подарил! Между прочим, платье-то клевое, фирменное, наверняка дорогущее. Только не говори, что в комке купила за три рубля, не поверю. А это что? Билет? На самолет? Ну дела! Танька, если не скажешь, я сейчас этот билет порву!

— Не смей!

— Не скажешь, посмею, еще как посмею! Говори!

— Черт с тобой! — и я ей кое-как рассказала, о многом умолчав, конечно, а главное, не назвав ни имени, ни фамилии.

— Танька, как красиво! — восторженно воскликнула Райка. — Как в кино, причем не в нашем, а в самом что ни на есть заграничном! С ума сойти! Ой, значит, ты с нами встречать не будешь? Ну и правильно. Лети к своему дядечке, пока зовет. Смотри, какой внимательный, обо всем позаботился, даже деньги на такси дал. Но ты их не трать. На автобусе сто раз доедешь, а то мало ли... Вдруг он там назюзюкается вусмерть, пока ждать тебя будет, и не встретит, как тогда быть? Или вообще помрет, не дай бог, всякое в жизни бывает.

— Замолчи, дура!

— Нет, ну помирать не обязательно, но мало ли, напьется, к примеру, а его в ментовку загребут или в вытрезвиловку, или ногу сломает...

— Райка, заткнись, сучара! Это ты от зависти!

— Это правда, — засмеялась она, — завидки берут! Но я не со зла, просто я знаю жизнь!

— А я, можно подумать, не знаю? Получше твоего!

— Кончай, Танька, не дуйся, у тебя же все клевенько, как в сказке! А Таллин вообще... Европа!

— Ты там была?

— Ага! У матери на работе экскурсия была, еще давно, я, наверное, классе в восьмом училась или седьмом... Красотища! Знаешь, какие там булочки с кремом? Объедение! Ух, у меня слюнки потекли! Слушай, Танька, подкороти платье, не вредничай, тебе раз плюнуть.

— Ладно, давай сюда!

— А конфетку можно попробовать? Я возьму, а? Да не жмотничай, он тебе еще купит!

— Бери, черт с тобой!

— Ты шей, шей, а я чайку поставлю, с такими конфетками под Новый год чайку попить клевенько! Слушай, а твою десятку я тебе сейчас не могу отдать!

— Какую десятку?

— Здрасте, мы же скинулись по десятке, забыла, что ли? Я со всех по рублю сдеру и тебе потом отдам!

— Да ладно, не надо! — великодушно ответила я.

— Мать моя женщина, что любовь с людьми делает! Я всегда тебя жмотиной считала, тетка тоже говорила: Танька — кулацкое отродье!

— Ой, не напоминай про тетку, с души воротит! И вообще, ты помолчать не можешь?

— Не-а, не могу! Ты небось хочешь в тишине предаваться мечтам о любимом? Не фига! Я уйду, тогда и будешь предаваться! Ты лучше скажи, он красивый?

— Для меня — самый красивый на свете! А вообще — не знаю.

— Как его фамилия?

— Много будешь знать, скоро состаришься!

— Вредина ты, Танька! А зовут как?

— Тебе не все равно?

— Конечно нет, охота знать, как в наше время зовут таких, которые способны... Ой, Танька, теперь ты точно невинность потеряешь! Если он, конечно, не импотент! А что, кстати, очень даже может быть, он же пожилой...

— Кто о чем, а вшивый о бане!

— Знаешь, я когда в больнице лежала, там была любовница одного кинорежиссера, так она говорила, что он уже ничего не может...

— Когда это ты в больнице лежала?

— Да в августе, аборт делала.

— Аборт? — ахнула я.

— Ну да, аборт, а что ты так испугалась? Дело житейское, у меня это уже второй... Но теперь я спираль вставила, хватит с меня, и тебе советую. Между прочим, ты там своему скажи, если он чего-то еще могёт, пусть предохраняется! Ты ж еще девочка...

— Если ты сейчас не заткнешься, я твое дурацкое платье вообще порву на фиг, поняла? — не выдержала я.

— Все, молчу, я хотела как лучше... Тебя ж некому уму-разуму научить.

— Ты научишь!

— Да ладно, Танька, не боись! В конце концов, аборт это тоже не смертельно! Все, молчу! Ох, хороши конфетки!

Наконец она заткнулась, занялась конфетами, и слава богу. Меня уже мутило от ее разговоров. Я постаралась как можно быстрее покончить с платьем.

— Тань, а ты туда надолго? У тебя ж сессия...

Господи, я об этом совершенно забыла, я вообще обо всем забыла.

— Ну что ты глаза вытаращила? Не бросать же институт из-за всяких... Так что долго задерживаться не советую. И вообще... Лучше мужику не надоедать, держать на голодном пайке, дольше не разлюбит!

— Рай, откуда ты все это знаешь? Можно подумать, тебе сто пятьдесят лет и ты три жизни прожила!

— Я — нет, — рассмеялась Райка, — а вот наша Лялечка...

— Кто это Лялечка?

— Да педагог наш, Елена Дмитриевна Клейн, она все знает, ей уже семьдесят три, она в молодости, видать, давала шороху, а теперь нам опыт передает. Она говорит, что героиня оперетты должна быть женщиной на двести процентов!

— А разве можно этому научиться?

— Можно! И нужно!

— Что ж ты тогда два аборта сделала?

— Страстная я очень, — вздохнула Райка, — мне как приспичит, обо всем забываю!

Я расхохоталась.

— Ну чего ты ржешь? Ты про это дело еще ничего не знаешь. Между прочим, имей в виду, девушки далеко не сразу во вкус входят. Всё зависит от первого мужчины. А мне такой попался... Рассказать?

— Нет, спасибо! Терпеть не могу такие разговоры!

— Дура ты, Танька! Как есть дура!

Наконец она ушла. А я, оставшись одна, вдруг начала дрожать. Как овечий хвост! Неужели заболела? Или от страха? Конечно, от страха. Еще бы не бояться! Тем более Райка наговорила всяких ужасов — напьется, умрет, сломает ногу... Но, взглянув на часы, я поняла, что если не брать такси, то самое позднее через полчаса надо выходить. Я стала лихорадочно собирать вещички и чуть не разревелась. У меня было такое некрасивое белье! Как-то до сих пор меня это не волновало, а теперь... Но что делать? Спасибо, есть новые трусики, беленькие, хлопчатые, а вот лифчик более или менее приличный только один... Вернусь из Таллина, поеду во «Власту» или в «Лейпциг», пусть придется отстоять какую угодно очередь...

На улице у подъезда я столкнулась с соседкой, она выгуливала Митьку.

— С наступающим, Таня! Ты куда это собралась?

— И вас также! Да к подруге за город еду! — сама не знаю зачем соврала я.

— Счастливо тебе!

— Спасибо!

По дороге в аэропорт я вдруг подумала: а что, если рейс задержат? Меня даже в пот бросило. Все ведь может сорваться из-за нелетной погоды. И почему бы Никите Алексеевичу не прислать мне на поезд? Куда лучше было бы... Но самолет улетел по расписанию. Да и лететь всего ничего, меньше двух часов. Неужели я выйду в Таллине и он встретит меня? Я старалась не думать о том, что будет дальше. Одно ясно — мы будем вместе встречать Новый год. Интересно, где? В компании? В ресторане? Но лучше не думать... А как не думать, если думается? А что будет завтра, послезавтра? Ну, завтра у него будет похмелье... А послезавтра он, наверное, отправит меня назад, у меня же сессия... И как это все будет? Продолжатся потом наши отношения или нет... Ах, да какая разница! Главное, что он сделал мне настоящий новогодний подарок, сюрприз, какого у меня уже никогда в жизни, наверное, не будет, и гори оно все синим пламенем! А в сумке лежит платье, просто роскошное платье, которое мне купил мой любимый Никита... Алексеевич. А еще я увижу новый сказочный город...

Но вот самолет приземлился. Люди повскакали с кресел, началась толкучка.

Я постаралась побыстрее протиснуться к выходу и нечаянно толкнула какого-то дядьку.

— Девушка, куда вы так спешите, все равно ведь еще не выпускают! — интеллигентно возмутился он.

— На свидание, разве ты не видишь, Боря? — засмеялась его спутница. — Девушку там кто-то ждет!

Глава 4
ЛЮБОВЬ ИНТЕЛЛИГЕНТА В ЭПОХУ ПЕРЕСТРОЙКИ

И правда, он ждал меня! Я сразу его заметила, он был выше многих. И показался мне нестерпимо красивым! На нем была светло-серая коротенькая дубленка, под ней бледно-голубой свитер. Шапки не было даже в руках.

— Таня! — крикнул он и шагнул ко мне. — Приехала!

И он обнял меня, как будто так и надо, как будто у нас с ним вся жизнь общая и все хорошо. А у нас и вправду было все хорошо в тот момент, так хорошо, что лучше не бывает! Он что-то говорил, а я почти ничего не понимала, только кивала головой как китайский болванчик. Он взял мою сумку и куда-то повел. Оказывается, нас ждала машина «Жигули», шестерка. За рулем сидел какой-то мужик.

— Познакомься, Юра, это моя девушка!

— А как зовут девушку? — красивым басом спросил Юра.

— Таня, Танечка.

— Итак, она звалась Татьяна! — хмыкнул Юра.

Мы с Никитой Алексеевичем сели сзади, он обнял меня и поцеловал в щечку.

— Куда едем? — спросил Юра.

— Сначала в «Виру»!

А мне было все равно, куда меня везут, я готова была ехать вот так хоть на край света.

— Ты первый раз в Таллине? — тихо спросил он.

— Первый.

— Тебе понравится.

Я глянула в окно. Там в темноте только мелькали фонари. Ничего, завтра все увижу, решила я и закрыла глаза. Мне, сказать по правде, было плевать на все красоты мира в этот момент. Главное, что он рядом, так близко...

Мы очень быстро доехали.

— Ник, что теперь-то? — спросил Юра.

— Сейчас Таню провожу и вернусь.

— Как? — испугалась я.

— Не волнуйся, через час я за тобой заеду, — он ласково потрепал меня по волосам. Потом вылез, обошел машину, открыл дверцу и подал мне руку. Я ничего не понимала. Мы стояли возле высотного здания.

— Это что?

— Гостиница! Между прочим, самая лучшая в Таллине.

— Вы тут живете?

— Нет, тут будешь жить ты.

Мы поднялись по ступенькам и вошли. В дверях стоял швейцар. Мама дорогая, я никогда еще не жила в гостинице! В холле толпился народ, слышалась незнакомая речь.

— Сядь вот тут и дай свой паспорт, я сейчас, — сказал он, усаживая меня в шикарное мягкое кресло. А сам подошел к девушке, сидевшей за стойкой, что-то сказал и вскоре вернулся с паспортом и вложенной в него бумажкой.

— На вот, заполни анкету. Ручка есть?

— Нет.

— Вот, возьми. — Он достал из кармана шикарную авторучку. — Э, да у тебя руки дрожат, бедная девочка. Давай паспорт, я сам заполню. И заодно узнаю о тебе кое-что. Итак, Шелехова Татьяна Владиславовна, тысяча девятьсот шестьдесят седьмого года рождения. Место рождения... О Господи, поселок Кусьё-Александровский! Это где же?

— На Урале.

— Какое чудное название, ты потом обязательно мне про него расскажешь, ладно?

Он заполнил анкету, отнес ее и вернулся с ключом, на котором висела большая деревянная груша.

— Ну, пошли! — улыбнулся он и взял мою сумку. — Да, я забыл спросить, платье-то впору?

— Ой, да, спасибо, я...

— Оно здесь, в сумке?

— Конечно, зачем вы спрашиваете?

— Просто безумно хочется тебя в нем увидеть.

Мы вошли в лифт, куда набилось еще много каких-то иностранцев, это были сплошь мужики, и все, как мне показалось, пьяные. Никита Алексеевич загораживал меня от них. Но вот мы и приехали. Прошли по длинному коридору, и он остановился у двери с номером 519.

— Видишь, какой замечательный номер. Пятерка — это твоя отметка, а девятнадцать — твой возраст. Заходи.

Я вошла и обомлела. Вот это да!

— Танюша, я должен сейчас ненадолго оставить тебя одну, а ты пока прими душ, наведи красоту и ровно через час будь готова, мы поедем встречать Новый год.

— Куда поедем?

— Увидишь! Устраивайся, девочка.

И он ушел. А я осталась в полном смятении. Что все это значит? Он меня даже не поцеловал по-настоящему... И поселил одну в гостинице... А сам живет где-то в другом месте... Я как дура стояла в пальто посреди шикарного номера и ничего не понимала. Но делать нечего, надо устраиваться! И принять душ, он сказал, чтобы я приняла душ, наверное, думает, что я немытая? А где, кстати, принимают душ? Я открыла дверь в прихожей, но это оказался шкаф с вешалками и полочками. Толкнула вторую дверь, и там была ванная! Ну надо же, какой шик! И унитаз имелся, а на нем бумажная лента с надписью на трех языках «Продезинфицировано»! Во дают! А еще на раковине какой-то странный кран, я таких сроду не видела. Он не откручивался, а поднимался! Здорово! А занавеска над ванной полосатенькая, черно-белая, полотенец шесть штук. И все желтенькие! Но тут я опомнилась и посмотрела на часы, у меня оставалось только сорок минут! Голову помыть уже не успею, ну да не страшно, я сегодня утром мыла. Сегодня утром, когда у меня была еще совсем другая жизнь, в которой все было по-другому, и сама я была другой. Та Таня не жила в шикарных гостиницах, не летала на Новый год в город Таллин к любимому, и у нее не было такого красивого, такого дорогого платья... Ой, мамочки, скоро уже придет

Никита... Алексеевич, а я раздетая! Я мигом оделась, натянула платье, расчесала волосы, хотя Агния когда-то мне, еще соплюшке, внушала: «Сначала приведи в порядок голову, а потом надевай платье!» До назначенного времени оставалось еще минут пять, и вдруг... Я похолодела: на колготках дырка, маленькая совсем, но на самом видном месте, пониже колена, а других у меня нет. И лака с собой нет замазать дырку, чтобы больше не рвалась... Я попробовала мылом, но от каждого движения она становилась больше. Это была катастрофа! И тут раздался стук в дверь.

— Таня, это я!

Я распахнула дверь.

— Господи, что с тобой стряслось, ты плачешь? В чем дело? — перепугался он.

Ну не могу я сказать ему, в чем дело! Не могу и все!

— Танюша, детка, тебя кто-то обидел? Может быть, я? Ты расстроилась, что я бросил тебя тут одну?

— Нет, что вы...

Чтобы он не заметил дырку, я села на кровать и краешком покрывала прикрыла ногу. Он внимательно на меня посмотрел.

— Ну-ка, что тут у тебя? Колготки порвались! А других нет, ситуация поистине трагическая, — засмеялся он. — Но поправимая. Сиди здесь, я добуду тебе колготки, чего бы мне это ни стоило!

И он почти бегом вышел из номера.

Господи, какой же он хороший! Конечно, колготки он вряд ли найдет, тридцать первого вечером, уже одиннадцатый час, но, может, оно и лучше, мы никуда не пойдем, останемся тут, вдвоем... — От этой мысли меня кинуло в жар. А еще я вдруг почувствовала, что ужасно проголодалась, просто живот подвело, я ведь с самого утра ничего не ела. Интересно, куда он побежал? В какой-нибудь магазин поблизости? Но там может не быть колготок... Под Новый год все разбирают... Не прошло и двадцати минут, как в дверь опять постучали.

— На, держи!

Я ахнула. Он сунул мне новенькие импортные колготки, серого цвета, в красивой упаковке.

— Живо переодевайся, а то мы опоздаем! Да смотри, не порви опять, больше я уже ничем тебе помочь не смогу, если бы ты знала, чего мне это стоило! — засмеялся он.

Я помчалась в ванную и через несколько минут вышла оттуда, страшно довольная. Серые колготки замечательно шли к голубому платью.

— Таня, красавица моя! По-моему, я заслужил поцелуй!

Я вдруг расхрабрилась, подошла к нему, встала на цыпочки и чмокнула его в щеку.

— Это не поцелуй, это чистой воды профанация. Дай-ка я сам...

Он схватил меня, обнял и поцеловал по-настоящему, как в кино. И целовал долго, но тут со мной случился новый конфуз — забурчало в животе от голода. Только бы он не услышал. Но он услышал.

— Господи ты боже мой, вечно мы, мужики, лезем целоваться, а девушка помирает с голоду. Ты небось с утра ничего не ела? Бледная совсем. На вот, возьми, замори червячка! — Он сунул мне небольшую шоколадку. Я разломила ее и половинку протянула ему.

— Да что ты, ешь сама, девочкам полезно есть шоколад, у них... Ах, что я несу, у меня от тебя голова кругом идет. Танечка, нам пора!

Он подал мне пальто, взял под руку, и мы быстро пошли к лифту. Там опять было полно пьяных иностранцев.

— Это финны, — шепнул он мне. — У них сухой закон, вот они и ездят напиваться в Таллин и Ленинград. Как выходные или праздники, от них спасу нет!

Мы сели в другую машину, где за рулем был уже другой дядька. Этот молчал всю дорогу, и Никита Алексеевич с ним тоже не вступал в разговоры.

— Куда мы едем? — робко спросила я.

— За город, к моим друзьям. У них большой дом, тебе понравится.

Но мне не понравилось. Мне все там не понравилось, хотя я никогда раньше таких домов не видела. Огромный, двухэтажный, комнаты большие, красиво обставленные, камин горит, елка до потолка, украшенная только серебристыми игрушками. Ни одного цветного шарика. Я понимала, что, наверное, это красиво, стильно, как сказала бы одна девчонка с нашего курса, но на меня почему-то от этой стильной елки веяло холодом, несмотря на камин. Народу было много, встретили меня вроде бы приветливо, но что-то мне все-таки мешало...

— Ник, где ты добыл такую прелесть? — подошел к нам пожилой дядька с какими-то моржовыми усами. — Как вас звать, милое создание?

— Таня, ее зовут Таня, и предупреждаю, руками не трогать!

— Да что ты, Ник, но любоваться-то можно? Давно уж в нашей компании не было таких юных дев! А что ж ты меня не представишь?

— Танечка, это Виталий Витальевич Авдеев, наш знаменитый режиссер, ты видела «Ничто не вечно»?

— Ник, не говори глупости, как Таня могла видеть «Ничто не вечно», если фильм сразу положили на полку? А вот «Апрельские сны» вполне могла видеть, и «Майскими короткими ночами» тоже!

Я молчала, я этих фильмов, наверное, не видела или не запомнила, а режиссер, поняв это, сразу же утратил ко мне интерес. В компании было человек десять и все немолодые, некоторые даже старше Никиты Алексеевича. Около камина спал огромный, белый с черными пятнами пес. Он ни на кого не обращал внимания, не лаял, и я его не боялась и все посматривала в сторону большого, красиво накрытого стола. Несмотря на шоколадку и некоторую неловкость, которую я тут испытывала, мне ужасно хотелось есть. И Никита Алексеевич не забыл об этом. Он взял со стола пирожок и сунул мне.

— Съешь скорее!

Но я не могла... Мне было неудобно одной есть, казалось, все на меня смотрят. Так и сидела как дура, зажав пирожок в руке. Но тут появилась еще одна пара. Хозяева дома. Высокая женщина в длинном серебристом платье и мужчина в черном костюме с галстуком-бабочкой.

— О, Марет, ты, как всегда, неподражаема! — неискренне, как мне показалось, воскликнула женщина в ярко-малиновом платье. — Эти серебристые тона...

— Но ведь мы встречаем год зайца, просто серый все-таки скучноватый цвет для праздника, согласитесь! — с едва заметным акцентом проговорила Марет.

— Но, кажется, это будет год синего зайца! — засмеялся кто-то.

— Синий заяц? — в притворном ужасе произнес Виталий Витальевич. — В нашем советском обществе нет места формалистическим вывертам, где вы видали синих зайцев? Нет, товарищи, надо быть ближе к природе, ближе к нашей социалистической действительности!

Он, конечно, придуривался, я сразу поняла. Видно, кого-то передразнивал.

— Никита, это и есть твоя девушка? — обратила на меня внимание великолепная Марет. — Что ж ты нас не познакомишь? Здравствуйте, Таня! — Она протянула мне руку с роскошным серебристым маникюром, а я с перепугу сунула ей руку, в которой был зажат пирожок, пирожок упал, на лице Марет промелькнула слегка брезгливая улыбка, меня бросило в жар, но Никита Алексеевич сразу пришел мне на помощь.

— Таня умирает с голоду, я сунул ей пирожок, а она стесняется, давайте наконец сядем за стол и проводим старый год, уже без двадцати двенадцать, между прочим! — Он поднял пирожок и отнес собаке. Та лениво повела носом и, не поднимая головы, приоткрыла пасть. Раз — и нет пирожка!

Все стали рассаживаться. Никита Алексеевич обнял меня за плечи и усадил рядом с собой.

— Девочка моя, я так счастлив, что ты здесь, со мной...

— Я тоже, — прошептала я.

Он наливал мне вино, накладывал что-то на тарелку.

— Ешь, не стесняйся, но помни, что потом еще будет потрясающий гусь. Любишь гуся?

— Наверное, я не знаю...

Телевизора не было. Интересно, как они узнают, что уже Новый год?

Вдруг раздался бой часов, но не кремлевских, а старинных напольных, что стояли в углу. Очень красивый бой, я никогда такого не слышала.

Вот тут все вскочили, стали чокаться, поздравляться, а Никита Алексеевич сказал тихо:

— Таня, давай выпьем за нас, глядя в глаза. И не надо стесняться! — Он смотрел на меня, и в его невозможных глазах отражалась любовь... Или мне так хотелось? Но я ее там видела и была счастлива... Однако это продолжалось недолго. Они, наевшись и выпив немножко, завели разговор о политике, и буквально через десять минут началась свара. Одни говорили, что верят Горбачеву, а другие, что нет. Кто-то кричал, что вся эта перестройка и гласность затеяны только для того, чтобы выявить наиболее опасные тенденции в обществе, а как выявят, так опять кислород перекроют еще хуже прежнего, так гайки закрутят, что только держись, поэтому ни в коем случае нельзя расслабляться, вон в Китае тоже когда-то объявили, пусть расцветают все цветы, а потом такое началось и вообще...

— Да ты пойми, чудак-человек, — схватив кого-то за грудки, горячился Никита Алексеевич, — все это только отчасти связано с идеологией, а главное — экономика, мы дошли до ручки, дальше уже ехать некуда, да и оружием бряцать тоже опасно стало... Но этой поблажкой, пусть временной, надо воспользоваться, чтобы стребовать с властей как можно больше свобод, потом отнять их все разом вряд ли кто посмеет...

— Нет, это ты чудак! Они посмеют! Еще как посмеют! Посмели же ввести войска в Прагу, не задумались!

— Время уже другое, почти двадцать лет прошло!

— Да в совке всегда одно время — совковое!

И все в таком роде. Не то чтобы мне было наплевать на все, что творилось в нашей стране, нет, конечно, но в Новый год, когда мой любимый, совершенно забыв обо мне, горячо отстаивал свою веру в Горбачева и его перестройку, я пришла в отчаяние. И все думала, как бы так невзначай обратить на себя внимание, может, он все-таки вспомнит, что сам выписал меня из Москвы. А зачем, спрашивается? Но ничего умного в голову не приходило. Хотелось мне, конечно, повести себя как Танька с улицы Углежжения: топнуть ногой, стукнуть по столу, выругаться матом, но я понимала, что это — конец. И тогда я тихонько отползла от стола, ушла в смежную комнату, где стояла елка, и прилегла на красивый светло-бежевый диванчик. Я вдруг страшно устала, как будто из меня выпустили воздух. Ничего, полежу немножко и оклемаюсь. А в столовой продолжали гомонить на политические темы. Черт бы вас всех побрал, и зачем я сюда приперлась из самой Москвы? Я закрыла глаза и тут же заснула. Проснулась как от толчка и сразу услышала какой-то разговор. Два женских голоса. Видимо, эти женщины сидели в креслах недалеко от моего диванчика. Они говорили вполголоса, но я слышала каждое слово.

— Кошмар какой-то, весь праздник испортили своей политикой, так я и знала! Сейчас вообще невозможно стало встречаться со знакомыми. Чуть что, кто-то лезет в бутылку! Наверное, лучше было бы просто лечь спать у себя дома.

— Вот Никитина нимфетка так и поступила.

Я насторожилась, хотя понятия не имела, что такое «нимфетка».

— Ну, ты не права, она вполне половозрелая особь, только, по-видимому, мало тронутая цивилизацией. И зачем он ее сюда привез?

— Ну, это более или менее понятно зачем. Она свеженькая, аппетитная. А Ник стареет, раньше ему нравились зрелые женщины, с шиком, а эта пейзаночка...

Так, еще одно незнакомое и довольно противное слово...

— А все-таки странно, что он не уехал на Новый год в Москву.

— Что ж тут странного? В Москве пришлось бы встречать Новый год с семьей, а он, по-моему, свою Валентину едва терпит уже.

— Но и на юную подружку тоже наплевал в политическом запале. Боюсь, если дело и дальше так пойдет, наши мужики скоро станут импотентами на почве политики. Кстати, тебе не кажется, что Марет сделала подтяжку? Уж больно хорошо выглядит!

— Просто у нее новый любовник, ты не знала?

— Понятия не имела! А кто?

— Не знаю, он не из нашего круга, но я их видела в Питере, в «Астории». Картина была вполне недвусмысленная, особенно зная привычки Марет. Ой, сейчас будет гусь, этого я пропустить не хочу ни за какие блага мира!

— А давай девочку разбудим, жалко ее, пусть хоть гуся попробует!

— Нет, надо сказать Никите, пусть разбудит ее сам, а то ей обидно будет, бедолажке.

Оттого, что эти две чужие тетки меня пожалели, мне захотелось просто завыть в голос! Но я сдержалась, решила подождать, что будет. Бабы ушли к столу, и буквально через минуту к моему дивану кинулся Никита Алексеевич. Он встал на колени и поцеловал мне руку.

— Танечка, маленькая моя, проснись, пожалуйста, проснись и прости меня, старого дурака...

Я решила сыграть в эту игру. Открыла глаза, как будто ничего не понимая, где я, что со мной.

— Что? Я спала?

— Да, маленькая моя, ты устала, проголодалась, нервничала, а потом поела и уснула. А теперь пора вставать, сейчас будет совершенно фантастический гусь! Ты ела когда-нибудь гуся, фаршированного говядиной? Это сказка! Вставай, соня!

Ишь как он все хитро повернул! Я, видите ли, заснула, а он, благородный рыцарь, просто охранял мой сон...

Изворотливый товарищ! Мне было так противно, что я его почти возненавидела. Старый обманщик! К тому же он был здорово пьян.

Мы вернулись за стол. Грязные тарелки были убраны, и посреди стола на блюде лежал громадный золотистый гусь, украшенный маринованными яблоками и сливами, окруженный крупной румяной картошкой. У меня потекли слюнки. Хозяин дома, муж великолепной Марет, виртуозно орудуя ножом, быстро нарезал птицу, и в самом деле начиненную мясным фаршем. Запах стоял обалденный. Я попробовала это чудо и ахнула. Фантастика, вот бы научиться такое готовить! Хотя поди еще в Москве достань все для такого пиршества... А сколько денег на это надо! Меня сразу затошнило. Я даже ощутила ненависть, классовую, наверное. Но тут Никита Алексеевич спросил:

— Ну как, нравится?

Я посмотрела на него и поняла: гусь и классовая ненависть тут ни при чем. Это его я ненавижу! Ненавижу так, что в глазах темно! Сволочь! Я что ему, кукла?

— Нет, не нравится! — отчеканила я. — Если хотите знать, мне вообще все тут не нравится! А больше всего — вы!

Он опешил.

— Таня!

— Зачем вы меня сюда приперли? Зачем вызвали из Москвы? Я думала, это будет самый лучший в жизни Новый год... Но такого поганого у меня еще не было! Кто так празднует? С тоски помереть можно! Я вам что? Кукла тряпичная? — Я уже не могла остановиться, а тут, как назло, за столом стало тихо и мои слова слышали все. — Лучше б я у Райки встречала, там хоть весело, поют, смеются, танцуют, а тут... Только пьют, жрут да о политике трындят! Стоило из-за этого из Москвы лететь! И вообще, я хочу уехать! Как отсюда выбраться?

— Браво, Таня! — захлопал вдруг в ладоши Виталий Витальевич. — Молодец, девочка, умеет за себя постоять! В самом деле, Никита, это черт знает что! Привез девушку, а сам...

— По-моему, это касается только нас! — ледяным тоном произнес Никита Алексеевич. Он схватил меня за руку. — Идем, поговорим!

— Это кто тут такой темпераментный? — раздался вдруг чей-то веселый голос. — Никита Алексеевич, не уводите девушку, она такая красивая и совершенно справедливо заметила, что в Новый год надо танцевать! Позвольте вас пригласить!

Все повскакали с мест.

— Матвей!

— Мотя приехал! — раздались радостные возгласы.

На пороге стоял молодой парень, среднего роста, с пышными рыжими волосами и обаятельной физиономией, усеянной веснушками.

— Нет-нет, все приветствия и дифирамбы оставим на потом, сейчас будем танцевать! Марет, музыку!

Он подскочил ко мне.

— Сбацаем?

— Запростяк!

Марет включила музыку. Матвей взял меня за руку.

— Ну!

Музыка была веселенькая.

— Как тебя звать, красавица, и откуда ты взялась?

— Звать меня дурочка, а взялась с переулочка!

— Самокритично! — тряхнул волосами Матвей. — Задолбало старичье?

— Именно!

— Ничего, я тебе скучать не дам!

— Да уж я поняла. Слушай, а как отсюда слинять?

— Куда?

— Ну, вообще-то в Москву, а пока в гостиницу.

— Так, переулочек, оказывается, в Москве, а дурочка в гостинице живет? В какой?

— Черт ее знает, я забыла, как называется, высотная такая.

— Высотных у нас две. «Олимпия» и «Виру».

— О, «Виру», точно, «Виру»! Как туда добраться?

— Отсюда? Сейчас никак, если только такси ловить, да и то безнадега.

— А ты как добрался?

— У меня мотоцикл.

— Слушай, будь другом, отвези меня туда, а? Тут же вроде недалеко. Мы быстро доехали.

— А потом ты в Москву уедешь? У тебя билет есть?

— Нет, билета нету... Я только недавно приехала...

— К Нику? Любишь его?

— Ненавижу!

— Ага, значит, любишь... А все же, как тебя звать?

— Таня.

— Слушай, Таня, я бы, конечно, тебя отвез... Но не могу...

— Почему?

— Принцип у меня такой — не лезть в чужие любовные дела. Я один раз сделал такую глупость, а в результате схлопотал по морде, причем от обоих, и от женщины, и от мужчины. Так что, извини... Вон Ник на меня уже волком смотрит.

— Ну и хрен с ним! Видеть его не хочу!

Но тут музыка кончилась. Матвей подвел меня к моему месту за столом, и я увидела, что Никита Алексеевич допивает свою водку, причем из стакана.

— Таня, пойдем поговорим, пожалуйста!

Он встал, взял меня за руку и почти силой повел куда-то. Оказалось, в прихожую. Интересно, что он мне скажет?

Он сорвал с вешалки мое пальто.

— Обуйся!

— Зачем?

— Надо!

Я обулась, застегнула сапоги, а он стоял с моим пальто в руках.

— Мы уходим? Туфли брать?

Он вырвал туфли у меня из рук и швырнул под вешалку, подал пальто и вывел меня на крыльцо. Сам он был в одном свитере. И вдруг сбежал с крыльца, сгреб двумя руками снег и принялся растирать лицо.

— Ах, хорошо! — Он снова и снова хватал чистый снег и тер себе лицо. Потом вдруг вскинул руки: — Таня, иди сюда, смотри, какая ночь! А воздух какой, чуешь? Ну иди сюда, не бойся!

Я подошла к нему.

— Вы простудитесь!

— Нет! А если простужусь, ты будешь за мной ухаживать?

— И не подумаю!

— Умница! Мужики не для того, чтобы за ними ухаживать! А совсем для другого, да? Ты зачем приехала?

— Ни за чем. Много вы понимаете! А приехала, потому что дура! Самая последняя дура!

— Дура, говоришь? Это хорошо, что дура... Я давно хотел найти себе дуру... Умные бабы меня достали уже, я по горло сыт! А ты маленькая, невозможно красивая дурочка, и я тебя люблю!

— Пустите меня! Никого вы не любите...

— Много ты понимаешь! Ты еще ребенок! Думаешь, почему меня так корежит? Потому что я хочу тебя до сумасшествия, а ты еще девушка... Зачем я буду ломать твою жизнь? Найдешь себе парня под стать, ему и подаришь свою невинность... А я старый хрыч для тебя...

— Так что ж мне, лечь под первого встречного, чтобы быть с вами? Да? Вам так легче будет, что ли? Конечно, тогда никаких угрызений, тогда вы как будто ни при чем будете! Да ну вас к черту!

Я попыталась вырваться от него, но он держал меня очень крепко.

— Что ты сказала? Ты правда хочешь... быть со мной?

— А как вы думали? Я что, маленькая? Только вы все врете про любовь... Какая это любовь, вы же ничего про меня не знаете...

— Почему? Знаю, что ты с Урала... Из поселка... как его... фу, забыл...

— Вы ж мне ни одного вопроса нормального не задали, вы все время про себя самого говорите... Небось только себя и любите...— задыхаясь от злости, шипела я. — На кой ляд вы меня вызвали, поизмываться захотелось?

— Дура ты! Молчи, я... — Он вдруг поднял меня на руки, швырнул на снег, я даже пикнуть не успела, как он навалился на меня и стал целовать. — Дуреха, какая дуреха... Но самая лучшая, самая любимая, я с первого взгляда понял... знаешь, как я тебя хочу, с той самой минуты, как увидел... И ты тоже хочешь, ты тоже сразу захотела, думаешь, я не понял... ладно, желание дамы закон...

Он все глубже вдавливал меня в снег, мне уже нечем было дышать, тогда я сгребла снег рукой и сунула ему за шиворот.

Он вскрикнул, дернулся, и мне удалось вскочить.

Он очумело вертел головой, сидя в снегу.

— Тань, ты чего? На тебя не угодишь! — И вдруг он начал хохотать как сумасшедший. Я протянула ему руку.

— Хватит, простудите себе свое хозяйство!

Он вскочил.

— Танька, откуда ты такая взялась? Я тебя обожаю! И не злись на меня! Это называется — любовь интеллигента в эпоху перестройки! А ты олицетворяешь собой здоровое народное начало. Солнышко мое! Идем в дом, а то и впрямь простудимся, ты вон вся в снегу и нос холодный.

— Не хочу я в этот дом, не нравится мне там...

— Почему?

— Долго объяснять. А вы идите.

— Без тебя не пойду. Но если ты настаиваешь, мы уедем... Ой, Танечка, милая моя, я сейчас вдруг понял, как мне выйти из положения... Я говорю про свой сценарий, я понял, как надо все повернуть, и это благодаря тебе... Ты — моя муза!

Я уже не могла на него сердиться...

— А еще я понял, что надо делать сейчас.

Мы вошли в дом, он натянул дубленку, замотал шею шарфом.

— Где твоя сумка? Туфли возьми, — распорядился он. — Мы уходим!

Я обрадовалась, схватила туфли, сумку, надела шапочку.

— Я готова.

— Вот и славно. Прощаться не будем, уйдем по-английски.

Мы прошли по аккуратно выметенной дорожке к воротам. Он взял меня под руку. Стоял легкий морозец, градусов семь, ветра не было, но все же в воздухе ощущалась сырость. А кругом было так красиво! Заснежённые деревья в садах, а за ними огни домов.

— Это что, дачный поселок?

— Да нет, скорее пригород...

— А куда мы?

— Куда глаза глядят! — засмеялся он.

— Нет, правда?

— Попробуем поймать машину! А нет, пойдем ножками, тут не так уж страшно далеко до твоей гостиницы.

— А вы где живете?

— Ты хочешь ко мне?

— Нет, просто спросила.

— Я тоже живу в гостинице, но в другой. Такая маленькая гостиничка, всего какой-нибудь десяток номеров, и принадлежит, представь себе, колхозу имени Кирова. Знаешь такой колхоз?

— Откуда? — засмеялась я.

— В этом колхозе делают знаменитые таллинские кильки, шпроты...

— А какое отношение вы-то имеете к колхозу?

— Да никакого! Я тут уже две недели торчу, переделываю сценарий для Таллинфильма, я написал его вместе с одним эстонским писателем, вот он мне по блату и устроил эту гостиницу. Там тихо и спокойно, а расположена она в самом центре. Стоп! Я опять говорю о себе! Как верно ты это подметила... Вот что, сейчас ты мне все расскажешь про свою жизнь.

— Я не могу так, ни с того ни с сего...

— Тогда я буду задавать тебе вопросы, идет?

— Попробуем.

— Тебе трудно живется?

— Да нет, не очень... раньше было хуже...

Я сама не заметила, как начала рассказывать о себе. Он слушал внимательно, а мы все шли и шли...

— А вот и море, — вдруг сказал он.

— Море? Где? — закричала я.

— Вон там, за соснами...

Но я ничего не могла разглядеть за соснами, кроме черноты. И чуть не заплакала от разочарования.

— Ты что, никогда не видела моря?

— Никогда.

— Боже мой! Бедная девочка! Ну ничего, я свожу тебя к морю летом, мы поедем в Коктебель! Будешь купаться в Черном море, нет, лучше в Пицунду или в Леселидзе... Тебе очень пойдет загар, ты хорошо загораешь, правда? Тебе должно очень пойти море... Нет, я еще весной отвезу тебя в Пярну, когда цветет сирень, знаешь, в Пярну удивительная сирень, розовая, совсем розовая... Будем есть с тобой копчушки... Ты любишь копчушки?

— Не знаю, не пробовала...

— Господи помилуй, девочка моя, сколько же приятных открытий тебе еще предстоит в этой жизни!

— По-вашему, копчушки — это жизненное открытие? — засмеялась я. Мне вдруг стало с ним легко и хорошо.

— Да, все новое в этой жизни можно воспринимать как открытие. Ты не устала, Танечка?

— Немножко... А нам далеко еще?

— Думаю, за час доберемся. Что-то никто не хочет нас везти. — Он обнимал меня за плечи, идти с ним рядом было удобно. Вдруг я заметила, что мы уже вошли в город.

— Ну, еще немного, еще чуть-чуть, — сказал он. — Вон гостиница твоя, видишь?

— Уже так близко! — обрадовалась я, и в то же время у меня замерло сердце. Что будет дальше? Он как будто прочитал мои мысли.

— Будет так, как ты скажешь, — совсем тихо произнес он.

Ишь какой хитренький! Как ты скажешь! А разве я могу сказать? Это там, во дворе, когда я была пьяная и очень злая, я могла сказать что угодно, а сейчас у меня язык не повернется... Но я так хотела, чтобы он пошел со мной! Значит, надо что-то придумать...

— Таня, не мучайся, если ты в силах пройти еще немного, мы пойдем ко мне. В моей маленькой гостинице все будет проще... Ты только скажи «да» или «нет»?

— Конечно да!

А дальше была сказка. Три дня сказки! Никита оказался именно таким мужчиной, о каком я мечтала. Я чувствовала себя абсолютно счастливой и ни о чем не жалела. Только иногда вдруг мелькала мысль: что же дальше, но я отгоняла ее, слишком хорошо мне было сейчас.

Первого января я города так и не увидела, зато второго, когда мы вышли на улицу из его гостинички и очень скоро попали на площадь, я глянула и обомлела. Господи, что за чудо!

— Это называется Вышгород! Сейчас мы с тобой позавтракаем в кафе «Таллин» и пойдем по городу. Знаешь, как называется та башня? Длинный Герман. А вот та — Кик ин де Кек. А еще есть башня Толстая Маргарита, но ее отсюда не видно. Жаль, сегодня магазины закрыты, я хочу купить тебе что-нибудь на память о Таллине, тут чудесные вещи бывают в художественных салонах... Танька, я такой голодный.

В кафе «Таллин» свободных мест не было.

— Черт бы побрал этих эстонцев, с утра пораньше сидят в кафе, — проворчал он. — Мало того что мест нет, так еще и очередь. Попробуем сунуться в кафе «Москва».

Это кафе находилось в двух шагах, но и там мест не было. Никита пошептался о чем-то со швейцаром, и он пропустил нас на второй этаж. К счастью, едва мы поднялись, я заметила, что освобождается столик, и мы поспешили его занять.

Нам принесли сосиски с картофельным салатом, это было необыкновенно вкусно, а потом кофе с разными булочками, одна лучше другой. И кофе был такой... Я вообще-то не люблю кофе, а тут...

— Это из-за сливок, — объяснил Никита, — здесь особенные сливки. Вообще молочные продукты в Эстонии — мечта.

Меня мучило только одно, как его называть? На «ты» у меня не получалось, а на «вы», после того что между нами было, как-то глупо... И я старалась помалкивать, тем более что он любил поговорить, только спросила его о доме, где мы встречали Новый год.

— Это дом отца Марет, он был министром, но уже давно умер. Сама Марет очень известная художница, полуэстонка, мать у нее русская. А муж тоже полукровка, он писатель, кстати, хороший, его здесь не очень печатают, больше за границей, хотя он пишет в основном о природе, никакой политики. Странно, конечно... А Матвей его младший брат. Потрясающе талантливый математик. Я их всех давно знаю и уже не раз встречал с ними Новый год... А впрочем, ну их всех к черту. Еще булочку хочешь? Нет? Тогда пошли, Таллин ждет!

Мы вышли из кафе. Он на минутку задумался, куда идти:

— Начнем, пожалуй, с Ратушной площади!

Когда мы туда пришли — это было совсем близко, — я вдруг воскликнула:

— Ой, я это видела!

— В кино? Наверняка и не раз!

— И еще по телевизору, когда погоду передают!

— Ах черт, нет фотоаппарата! — огорчился Никита. — Поснимать бы тебя тут на память! Ну ничего, я попрошу у Матвея, у него есть!

Мы гуляли по улицам, он много рассказывал об истории Таллина. С Вышгорода показал мне море. У меня слегка кружилась голова, когда мы стояли у парапета, но он обнял меня за плечи, и я поняла, что голова идет кругом не от высоты, а от счастья. Потом мы спустились в какой-то подвальчик, пили там горячее красное вино. От этого вина я вдруг протрезвела, как это ни странно звучит.

— Никита Алексеевич, мне...

— Это еще что такое? Какой я тебе теперь Никита Алексеевич? Чтоб я больше этого не слышал. Так что ты хотела сказать?

— Что у меня сессия на носу, мне, наверное, надо в Москву...

— Послезавтра поедешь, а я еще задержусь на неделю, — вздохнул он. — Надо довести все до конца, а в Москве уже браться за свое. Надеюсь, теперь работа пойдет... Меня тогда, в снегу, вдруг осенило... очень плодотворная мысль... И все благодаря тебе, моя девочка! А что касается сессии, я вот хотел тебя спросить: ты твердо уверена, что хочешь быть геологом?

Что я могла ему ответить? В этот момент я была твердо уверена только в одном — в своей любви к нему, а на все остальное мне было наплевать, и на геологию в том числе.

Глава 5
ВСЕ ВРЕТ ВАША КОФЕЙНАЯ ГУЩА!

Когда я открывала ключом свою дверь, в квартире надрывался телефон. Я швырнула сумку на пол и схватила трубку. Вдруг это звонит Никита, но звонила Райка.

— Ой, приехала! С Новым годом, с новым счастьем! Как там насчет счастья?

— Полный порядок!

— Трахнулась?

— Райка! — засмеялась я.

— О, судя по смеху, трахнулась, и притом клево, да? Рассказывай!

— Еще чего!

— Да не про койку, а вообще! Что, как? Таллин хоть посмотрела или из койки не вылезала?

— Вылезала, посмотрела и даже тебе сувенирчик привезла.

— Ой, правда? Спасибо! А какой?

— Вкусненький!

— Да? Как интересно! Ты когда приехала?

— Вот только что. Еще в пальто стою!

— Слушай, я сейчас к тебе подвалю, охота поглядеть на свежевыпеченную женщину, ты хоть осознала, подруга, что ты теперь женщина?

— Нет, Райка, я вообще еще ничего не осознала.

— Ладно, я помогу! Сейчас приеду, заодно отдам тебе твой чирик. Жди!

Она примчалась буквально минут через двадцать.

— О! У нас наблюдается большая любовь! Танька, ты до того похорошела, смерть комарам и мухам! А твой дяденька небось совсем с катушек соскочил. Жениться не предлагал?

— Нет.

— А ты бы за него пошла?

— Господи, Райка, о чем ты говоришь! У него дочка такая, как я!

— Ну и что? Делов-то! Он небось богатенький, со связями, да?

— Не знаю я. И вообще, отстань, лучше расскажи, как Новый год?

— Да ничего, нормально, два парня из-за меня подрались! Я когда спела им «Я институтка, я дочь камергера», они прямо спятили! Не зря говорят, что у меня здорово сексуальный голос! Владик, сволочь такая, меня даже не поздравил! Умотал в свой Оренбург, и с концами... Ну и ладно, другого найдем, еще получше! Между прочим, Танька, мне один дядечка сказал, что оперетта в наше время уже не хиляет, и если я пойду на эстраду, у меня может быть большое будущее! Мол, внешность у меня, и голос, и фигура созданы для эстрады... Как думаешь?

— Ну, вообще-то я в этом не очень понимаю... Но внешность, и голос, и фигура — это все и вправду есть...

— Между прочим, Танька, где мой сувенир вкусненький?

— Ой, я и забыла совсем! Сейчас найду!

— Зажилить небось хотела! Ой, Танька, это что? Конфетки! Класс! Танька, а у тебя фоток нет таллинских?

— Будут, Никита снимал.

— Никита? Его зовут Никита? Случайно не Михалков?

— Случайно не Михалков!

— Слушай, а сколько ему лет?

— Сорок три.

— Мама родная, совсем старик!

— Старик! Никакой он не старик! Он такой красивый, Райка...

— И в койке, видать, не промах, уж больно ты светишься! Слушай, а он тебе чего-нибудь подарил?

— Подарил!

— Покажь!

Она долго охала и восторгалась темно-зеленым свитером ручной вязки, купленным за бешеные деньги в художественном салоне, несмотря на мои протесты, и красивым серебряным браслетом с бирюзой.

— Танька, класс! За этого мужичка надо держаться! Ты, подруга, должна все сделать, чтобы он на тебе женился! У него квартира большая?

— Райка, заткнись! Это не моя тема, усекла? Раз и навсегда запомни!

— Дело твое, просто я хотела дать тебе совет. Ты красивая, у тебя темперамент, а он киношник, немолодой, он тебя еще может в кино устроить, и будешь кинозвезда! А что, если тебя окультурить... Не лезь в бутылку, я только про внешность, то очень даже красивая звезда получится! Представляешь, Танька, лет через пять мы с тобой еще довольно молодые будем и знаменитые! Я — звезда эстрады, а ты — звезда кино! Ты снимешься в фильме, от которого все будут писать кипятком, а я спою для этого фильма забойный шлягер! И мы с тобой встретимся в Каннах, на набережной Круазетт, шикарные, как... И никакие Владики, никакие Никитосы нам на фиг не будут нужны! Мы будем выбирать себе совсем других мужиков... Я хочу Депардье! А ты?

— А я хочу Никиту!

— К тому времени Никита твой вообще старый будет!

— Депардье тоже!

— Так то Депардье!

— Ну ты и дура!

— Почему? Мечтать не вредно! И вообще, плох солдат, который не мечтает стать генералом!

— Или генеральшей! — засмеялась я.

Но тут зазвонил телефон.

— Междугородка! — сразу определила Райка.

— Танечка, ты хорошо долетела?

— Да.

— Как ты там? А мне без тебя плохо, скучно....

— Мне тоже.

— Ты там что, не одна?

— Соседка зашла.

— Хозяйка Митьки? — показал он свою осведомленность.

— Да.

— Ну ладно, тогда я пойду работать. Я тебе еще позвоню. Целую сто раз!

Он повесил трубку.

— Зачем про соседку?

— Сама, что ли, не понимаешь? — рассердилась я. — Чтобы не думал, что я тут уже с кем-то его обсуждаю.

— А с соседкой что, нельзя?

— Он знает, что я с ней ничего обсуждать не буду.

— Ой, а он и про меня уже знает?

— Конечно!

— Слышь, Тань, он хоть предохранялся, а? А то залетишь...

— Райка, ну как ты можешь говорить о таких вещах?

— Здрасте, я ваша тетя! А залетишь, к кому кинешься? К нему? Это вряд ли. Ко мне! И я буду знать, как тебе помочь! Ты ж еще ничего в этом не понимаешь! Ты скажи только, предохранялся или нет?

— Я не знаю...

— Во дает! Как это не знаешь?

— Так! Не знаю и все! Но он сказал, чтобы я не волновалась...

— Значит, наверное, предохранялся! Да, Танька, ты все-таки какая-то несовременная. Наверное, он потому на тебя и запал, ты ему клушек его далекой юности напомнила...

...Мне надо в университет, но я не поеду, боюсь встретить Сашку. Мне кажется, она сразу просечет, что я с ее отцом... Но с другой стороны, у меня завтра первый экзамен, и если я не явлюсь... Об этом не может быть и речи! Не могу я все вот так бросить, не говоря уж о том, что меня лишат стипендии. Хоть и небольшие деньги, а все же... И черт с ней, с Сашкой! Пусть видит! Да ничего она не увидит, откуда ей знать, что я... И вообще, пусть Никита боится, а мне вроде незачем! И я всю ночь просидела над учебниками. Видок у меня утром был еще тот, но почти все студенты в день экзамена имеют бледный вид. И я этот экзамен сдала! Правда, на четверку. Но и то хорошо! И Сашку я видела только мельком. Она издалека помахала мне рукой. Я тоже помахала ей, хоть и чувствовала себя при этом последней тварью...

— Шелехова, постой! — окликнул меня комсорг Витя Круглов, красивый парень с роскошной фигурой. — Сдала?

— Сдала, а что?

— Слушай, ты почему такая несознательная?

— Несознательная?

— Избегаешь общественной работы!

— Вить, я не избегаю, просто...

— И вообще, ты какая-то индивидуалистка, что ли... Нехорошо. Слушай, Таня, что ты сегодня вечером делаешь?

— К следующему экзамену готовлюсь...

— А давай в кино сходим?

— Что это с тобой, Витечка? — засмеялась я.

— Это я тебя хотел спросить... Ты сегодня такая... — вдруг засмущался Круглов, хотя этого за ним обычно не водилось.

— Нет, Витечка, спасибо, но в другой раз, после сессии.

— Ловлю тебя на слове!

— Ладно! Заметано!

Когда я уже бежала к метро, меня догнал Генка Лившиц.

— Таня, постой! Привет! С Новым годом! Можно тебя проводить? — выпалил он единым духом.

— До метро можно!

— А дальше?

— Я живу в Кузьминках!

— Ну и что? Я готов!

— Нет, Гена, спасибо, не стоит, у меня свидание!

— А... — расстроился он. — С кем-то со стороны, не из наших?

— Нет!

— Понятно, — вздохнул Гена. — Ну тогда я побежал!

И, позабыв о том, что собирался провожать меня до метро, он побежал обратно, искать себе другую подружку на сегодня. Генка слыл у нас большим бабником. И что это их сегодня прорвало, раньше они не очень-то на меня внимание обращали. Неужто оттого, что я стала женщиной? И в метро я решила проверить, как на меня теперь реагируют мужчины. Вошла в вагон, встала у дверей и сняла шапку. Встряхнула волосами, и тут же парень, который сидел рядом с поручнем, вскочил.

— Садитесь, девушка!

Не успела я и шагу сделать, как место занял пожилой толстый дядька.

— Ну вот, — огорчился парень.

— Да ладно, ему нужней, — засмеялась я, — ему тяжело стоять, а я не рассыплюсь.

— Девушка, а где таких красивых разводят?

— На реке Чусовой, слыхали про такую?

— Это в Сибири?

— Нет, на Урале!

— Ладно врать-то... У тебя выговор московский!

— Так я уж сколько лет в Москве живу... А родом с Урала.

— Слушай, мне на следующей выходить... Дай телефончик!

— И не мечтай!

— Жалко, ты мне здорово понравилась!

Пока я добралась до своих Кузьминок, мне пришлось убедиться в том, что я действительно как-то изменилась. А вечером мне позвонила соседка Алла Захаровна, хозяйка Митьки.

— Танюша, как экзамен?

— Сдала первый, спасибо! На четверку!

— Заходи чайку попить, мне торт подарили.

Я пошла к ней, тем более что в холодильнике было пусто, только пачка пельменей, а после таллинских вкусностей есть их было противно.

Кроме торта Алла Захаровна поставила на стол еще и сырокопченую колбасу, какой я давно в глаза не видела.

— Ешь, Таня, не стесняйся, мне поклонник подарил.

— Поклонник? — ахнула я. Ей было лет сорок пять, какие уж тут поклонники, подумала я, но, конечно, промолчала.

— Тебе небось кажется, какие в моем возрасте поклонники? — рассмеялась она. — Я в твои годы тоже считала, что после двадцати лет все женщины старухи! Таня, что это с тобой, ты, часом, не влюбилась?

— А что, заметно?

— За версту! Что ж, дай тебе Бог счастья, ты хорошая девочка. Только не приноси себя в жертву.

— В жертву? О чем вы?

— Мне кажется, ты такая женщина...

Я вздрогнула.

— Ты из тех, кто ради любви готов многим пожертвовать, а это плохо. Он, надеюсь, не пьет?

— Ну так... немножко... в компании.

— Главное, чтобы не пьяница... хуже нет жить с пьяницей...

Она никогда о себе не рассказывала, но я поняла, что опыт жизни с пьяницей у нее был, и, по-видимому, немалый. Алла Захаровна работала машинисткой в Министерстве здравоохранения, а по вечерам печатала рукописи каких-то писателей и диссертации. Диссертации печатать она не любила, но за них платили лучше.

— Чует мое сердце, ты не у подружки за городом была. Ой, покраснела! Выходит, я угадала? И он, конечно, лучше всех на свете?

— Конечно!

— Хочешь я тебе погадаю?

— А вы умеете? На картах?

— Нет, на кофейной гуще.

— Хочу! Очень хочу!

— Только придется тебе пить кофе, черный.

— Ничего, ради такого дела выпью, тем более с тортиком!

Алла Захаровна сварила кофе в турке, а когда я его выпила, велела мне левой рукой от себя опрокинуть чашку на блюдечко.

— Пусть постоит, стечет.

Я еле дождалась начала гадания.

— Так, Таня, ну любовь у тебя какая-то странная, очень большая, очень. Просто все закрывает... И мужчина твой тебя любит, и он будет с тобой... Долго, но не всегда... А еще почему-то в твоей жизни будет много цветов... И ребенок будет, но не скоро... и, похоже, девочка... Только ребенок не от этого мужчины... Знаешь, очень похоже, что цветы будут твоей профессией...

— Как это?

— Не знаю. Может, будешь их разводить... А в общем, все у тебя совсем даже неплохо. Только перемены будут большие, но тоже не сразу... А вообще, хорошая у тебя чашка, давно такой не видела!

— Ой, правда? — обрадовалась я.

— Зачем мне тебя обманывать? Конечно, если б я что-то совсем плохое увидела, я бы не сказала, но тут и вправду все хорошо. Рада за тебя.

— Алла Захаровна, а этому гаданию... ну... можно верить?

— Это уж твое дело, — засмеялась она. — Только я както одной знакомой гадала, и вышло, что у нее машина будет. Вот просто видела в чашке машину, а ей ну неоткуда было ее взять, ни денег, ни возможности достать. И что ты думаешь? Не прошло и месяца, как у нее машина появилась!

— Откуда?

— Выиграла в лотерею! «Волгу»! А билет ей на сдачу где-то всучили!

— Ну надо же... И что она с ней сделала, продала?

— Она хотела взять деньгами, но умные люди научили: возьми машину, а потом продай с большой наценкой. Так она и сделала! Так что хочешь верь, хочешь не верь в мои гадания... А что за кавалер у тебя?

Я замялась. Мне страшно хотелось поделиться с ней своими переживаниями, но я отчетливо понимала: услыхав о том, что Никита на двадцать четыре года старше меня, что он женат, Алла Захаровна будет ужасаться, говорить, что он мне не пара, что нехорошо рушить семью... Одним словом все, что я сама себе говорила.

— Не хочешь рассказывать, не надо. Но знай, что всегда можешь обратиться в случае чего. И выслушаю, и помогу, чем смогу. Сама хорошо знаю, каково справляться с любовью в одиночку...

Никита звонил через день, и от звуков его голоса я таяла, тем более что он говорил мне столько замечательных слов!

В день его приезда у меня был очередной экзамен, и с утра я ни о чем не могла думать, зато когда экзамен был сдан, я вдруг отчетливо представила себе, что с вокзала он поедет домой, к жене и дочери, будет целовать жену, наверное, привезет ей какие-то подарки, а вечером ляжет с нею спать, короче, начнет жить своей привычной жизнью... И, может быть, поймет, что мне в этой жизни просто нет места, что я буду только ему мешать... Но я тут же вспомнила гадание Аллы Захаровны и успокоилась. Она же обещала мне большую любовь, надолго, так зачем волноваться зря? Если она машину сумела в чашке разглядеть, то уж любовь-то наверняка ни с чем не спутает! От мысли, что Никита в Москве, я совсем с катушек слетела или, как говорила мать, с резьбы сорвалась. Я мчалась домой на бешеной скорости, чтобы не прозевать звонка, а дома устроила генеральную уборку, выстирала даже тюль и мокрым повесила обратно, ничего, он быстро высохнет! Потом сама долго мылась, а он все не звонил, и с каждой минутой мое настроение падало и падало. А вдруг я просто не слышала звонка, пока мылась? Потом я испугалась: а что, если произошло крушение поезда? Я скорей включила телевизор, теперь о таких вещах уже сообщают, у нас ведь гласность... Но в новостях ни словечка о крушении не было. Когда погиб корабль «Адмирал Нахимов», об этом сообщили... И о других катастрофах... Кстати, от этого стало жить страшнее. Раньше вроде не знаешь ни фига и живешь спокойно, только слухи доходят, а слухам легко не поверить, легко на них наплевать. Но, с другой стороны, слухи бывают в сто раз страшнее правды... Что-то я запуталась, надо будет спросить у Никиты... У Никиты! А как у него спросишь, если он не звонит? Время полдесятого уже... Вряд ли он в первый же день куда-то ушел из дома, небось сидит с семьей и просто не может мне позвонить. А что, если я сама позвоню? Нет, ни за что на свете! Но почему? Я ничего говорить не буду, просто послушаю, кто подойдет.

И вдруг телефон зазвонил. Я как сумасшедшая кинулась к нему.

— Алло!

— Танька, привет!

— Привет, Рай.

— Что это у тебя голос замогильный какой-то? Провалилась? Или ждала, что это Никита твой звонит?

— Рай, прекрати.

— А, значит, я попала в точку. Слушай, у меня мировецкая идея родилась. Тебе башли нужны?

— А ты как думала?

— Понимаешь, в последнее время твои пончи что-то плохо идут, а я вот побывала в Измайлове, ну где художники свои художества продают...

— И что?

— А то, что голова у меня светлая и мы с тобой сможем нехило заработать.

— Как? — заинтересовалась я. Деньги были очень нужны.

— Надо на твои пончи какую-нибудь художественную закорюку налепить.

— Какую закорюку?

— Я знаю? Ну, цветочек там вышитый, или аппликацию, или бисер, или тесьму — бахрому с кисточками. Придумать можно, не проблема, главное, чтобы не было двух одинаковых, сечешь?

— Более или менее, — задумчиво проговорила я. Райкина мысль показалась мне интересной.

— Представляешь, вывесить сразу штук двадцать — и все разные. А какой простор фантазии! Уверена, у нас в один день все раскупят. Одна ты не справишься, я тебя знаю, в тебе наглости мало. Я согласна на тридцать процентов.

— Тридцать процентов за наглость? — засмеялась я. — Ну ты даешь!

— Танька, ты не права. Тридцать процентов, во-первых, за идею, во-вторых, за наглость, а в-третьих, я помогу с подготовкой товара, одна ты будешь долго канителиться. По-моему, только справедливо, другая на моем месте потребовала бы пятьдесят! А так я уже завтра могла бы к тебе приехать, и начали бы мы с тобой шить-вышивать и добра наживать, чтобы к выходным уже было чем торгануть. У тебя платки-то есть?

— Да, штук сто, наверное, мне Надя натаскала.

— Сто платков — это пятьдесят пончей... Для начала ничего, но надо бы больше. А еще всякие нитки-тесемки. Бисер я у матери нашла, здоровую коробку, а у меня есть разное мулине, я с детства любила крестиком вышивать, так что... И потом, Танька, будешь торговать в Измайлове, выйдешь не банальная торговка, а художница! И заодно перестанешь нюниться из-за своего, при деле будешь... Что, не звонит?

— Сегодня еще не звонил. Ой, Райка, давай не будем телефон занимать, вдруг он звонит...

— Дура, наоборот! Если звонит, а у тебя занято, он испугается, не с молодым ли кавалером ты трепешься? Только сильнее любить будет.

— Да ерунда все это.

— Ничего не ерунда! Надо его довести до точки кипения, чтобы совсем башку потерял от ревности.

— Да зачем? Жалко!

— Жалко у пчелки! Жалко ей! А он тебя жалеет? Ты вон мучаешься, а он хоть бы хны...

Если уж нельзя избавиться от Райки, лучше перевести разговор.

— А Владик твой нашелся?

— Да ну его... — шмыгнула носом Райка. — Он, Танька, женится, только не на мне... В Оренбурге ему родичи какую-то сосватали, она врачиха, и притом хозяйка, каких свет не видывал, соленья, варенья, то-сё... А я, видишь ли, в жены не гожусь!

— Почему?

— Потому что я артистка, да еще и опереточная... Ни в какие ихние оренбургские ворота это не лезет, сечешь?

— Так и слава богу, зачем тебе такой баран с предрассудками?

— Я понимаю все, но только он в койке не баран, а орел... Эх, ладно, Татьянка, закрываем тему. Значит, решено, будем деньгу сшибать?

— Попробуем!

Райкина идея неожиданно очень меня вдохновила. В самом деле, деньги нужны позарез, а торговать в Измайлове вовсе не зазорно. Я вытащила мешок с платками. Платки были белые, черные и с цветами. Цветастых оказалось меньше. Оно и к лучшему, на них ничего не изобразишь. Правда, можно делать комбинированные пончо. Один платок гладкий, второй пестрый, и носить можно по-разному, хочешь цветы вперед, хочешь назад. А можно сделать и черно-белые, да еще пришить для интереса кисточки на уголки, допустим, на черное белые кисточки, а на белое — черные. А еще можно попробовать делать аппликации из старых лоскутков... Я полезла на антресоль, выволокла еще материн старый фибровый чемодан и нашла кучу подходящего тряпья. Хорошо, что руки не дошли выбросить его при переезде, теперь все в дело можно пустить. У меня уже заработала фантазия. Кроме пончо можно наделать еще красивых фартуков с аппликациями, кухонных прихваток. А еще я вспомнила сумку, которую видела когда-то. Одной девчонке из нашего класса мать из ФРГ привезла — на простой холстинке аппликация из яркого ситца. Что ж, я сама такую не сошью? У нас народ кинется, неизбалованный... Вопрос только, где взять на все это время, ведь надо еще и заниматься... Ничего, управлюсь, главное — позвонить завтра Надьке, чтобы натаскала тряпочек со своей фабрики. Права Райка, некогда мне будет думать о Никите. Неужели трудно позвонить, хоть два слова сказать? Ой, а вдруг он заболел? А я тут его ругаю. Нет, не буду ругать... Подожду. Завтра никуда не пойду, буду заниматься, а вечером Райка придет...

Утром я встала в жутком настроении. Первым делом проверила, работает ли телефон. Конечно, он работал. Просто Никита решил, что в Москве ему со мной неинтересно. Там можно было всем показать: вон я какой лихой, выписал себе из Москвы влюбленную дурочку, которой еще и двадцати нет, а в Москве... Мало ли где можно столкнуться с дочкой или с женой... Вон мы один раз в ресторан пошли и сразу же на жену напоролись. Зачем ему эта головная боль? Побаловались и хватит.

Он небось думает, я вон ей платье подарил, свитер дорогущий, серебряный браслет, вроде как расплатился. От обиды я разревелась. Но потом взяла себя в руки. Ну и ладно! И черт с ним! Зачем мне такой старик? Я лучше начну деньги зарабатывать, может, еще кооператив какой-нибудь с Райкой откроем, разбогатеем, я куплю себе все самое-самое шикарное, шубу какую-нибудь отпадную, найду кавалера покрасивее, можно, например, Витьку Круглова, и пойду с ним в Дом кино... Пусть тогда локти себе кусает, а я на него только гляну и пройду мимо... Как королева.

Когда под вечер явилась Райка, у меня внутри уже все дрожало от отчаяния, я еле сдерживалась.

— Ну ты чего, Татьянка? Не звонил?

В ответ я только всхлипнула.

— Все они такие... Дерьмо свинячье... Да не расстраивайся. Главное, не залететь, а с остальным как-нибудь разберемся. Я же вот держусь, ничего... Хотя и обидно, если не придуриваться. Еще как обидно. Ничего, он еще пожалеет, как увидит меня по телевизору, всю в блестках, а потом посмотрит на свою жирную врачиху с маринадами... Танька, ты ржешь?

— Ага! Я тут перед твоим приходом тоже размечталась, как пойду в шикарной шубе в Дом кино...

— Наверное, все бабы об этом мечтают. Танька, мы с тобой теперь кто? Бабы. А задача наша в чем?

— В чем?

— В том, чтобы стать не бабами, а женщинами. Экстра-класса! А что для этого надо? Начальный капитал. Вот мы и будем его добывать! За дело, подруга, вперед и с песней! Я тут еще кое-что надумала... Можно шить юбки, на резиночке...

Я рассказала ей о своих идеях. Она расхохоталась.

— Танька, нам, похоже, надо бригаду целую сколотить, но тогда будет мало денег. Нет, давай пока попробуем с пончо начать. Если получится, тогда и будем думать.

Никита так и не позвонил. При виде Сашки я всматривалась в ее лицо, нет ли на нем следов грусти по поводу болезни любимого папы. Но ничего не замечала. Один раз в отчаянии все-таки набрала его номер. Ответила домработница. И я, замирая от страха, попросила позвать Никиту Алексеевича.

— Так нету его, в Болшеве он.

И она повесила трубку.

В Болшеве... Что это такое? Дача у него там, что ли?

Когда вечером пришла Райка, я спросила, знает ли она что-нибудь про Болшево.

— Естественно, знаю. Там Дом творчества киношников. А что?

Пришлось признаться.

— Вот гусь! Не мог, что ли, позвонить? Плюнь, Танька, и разотри. Да, между прочим, ты в порядке, не залетела?

— Нет.

— Уверена?

— На все сто!

— И то хлеб. Ну все, к черту всех киношников и летчиков! Первым делом, первым делом наши пончо, ну а ё..., а ё... потом! — пропела она и вправду дивным голосом.

Глава 6
РАДОСТИ ТОРГОВЛИ НА СВЕЖЕМ ВОЗДУХЕ

Мы впряглись в работу и, надо сказать, дело у нас пошло. Райка очень неплохо вышивала, я делала аппликации и строчила на машинке. Когда через неделю, как раз к началу каникул, мы взглянули на результат, Райка заметила:

— Во, Танька, что значит быть заодно! Мы с тобой две брошенки, нам позарез нужны башли, и мы кое-чего добились! Но главное, что мы обе брошенки...

— Почему это главное? — удивилась я.

— Сама, что ли, не понимаешь? Если бы я, к примеру, сейчас горевала, а ты бы сияла от счастья, что бы у нас получилось? Ни хрена! Ты бы бегала со своим Никитосом, а я бы завидовала и от зависти все бы испортила... А так — самое оно!

— Ну ты и дура! — засмеялась я, хотя вообще в последние дни почти разучилась смеяться. Одна радость — хорошо сдала сессию. — Ну что, Рай, когда в Измайлово двинем?

— На выходные, когда же еще! Там в будни торговли почти нет.

— И ты думаешь, мы за выходные это все распродадим?

— Не сомневайся! Тань, только я сегодня до вечера не останусь, у нас тусовка намечается на курсе, по случаю каникул. Хочешь со мной? Пошли, чего сидеть тут и кукситься?

— Нет, не пойду. Меня тоже наши звали в общежитие, но я не хочу. Лучше еще что-нибудь сошью.

— Ладно, тогда до завтра. Слушай, а ты мне свитерок новый не дашь надеть?

— Не дам!

— Ну почему?

— Не дам, и все!

— Жадоба!

— Какая есть!

— Ну точно, кулацкое отродье, — беззлобно сказала Райка и с этим удалилась.

А я остервенело принялась строчить новые пончо. У меня уже в глазах рябило, в висках стучало, а я как ненормальная все строчила...

Утром я проснулась от того, что в дверь отчаянно звонили. Я испугалась.

— Кто?

— Открывай, свои!

— Райка, ты что, офонарела? Звонишь как на пожар...

— Ой, Танька...

Она плюхнулась в дубленке на диван. Вид у нее был крайне взволнованный. Я подумала, что, наверное, прикрыли торговлю в Измайлове, об этом все время говорили...

— Танька, его фамилия Вдовин, да?

У меня оборвалось сердце.

— Ага, побледнела, значит, в точку. Танька, я вчера его видела! Охренительный мужик, это правда, хоть и старый...

— Где ты его видела?

— В Доме кино!

— Как ты туда попала? — помертвевшим голосом спросила я, чувствуя, что ничего хорошего Райка мне не скажет.

— Случайно. Меня Игорь Глотов пригласил, он на театроведческом учится, заглянул к нам на огонек и с первого взгляда втюрился. А у него родители критики, отец киношный, а мать театральный, мне Игорь сам сказал, что их семью называют «союз аспида с коброй»!

— Райка!

— Но должна ж я тебе объяснить, как попала в Дом кино! Короче, Игорь позвал меня туда в ресторан. Он мне не больно понравился, но я ж не дура, чтобы отказываться. Да и вообще с этим змеиным семейством лучше дружить, это будет дальновидно! Вот! Ну ладно, теперь к делу. Сидим мы с ним в ресторане, то да се, знакомые его какие-то подходят, подсаживаются, в общем, ничего, довольно весело, знаменитостей всяких прорва, кого только я там не видела! И Абдулова, и Глузского...

— Райка!

— Ой, прости! Так вот, я смотрю и вдруг вижу: сидит женщина, шикарно одетая, немолодая, лицо знакомое, а кто, вспомнить не могу, понимаю, что артистка, а фамилия из башки вылетела... И мужик с ней, видный такой... Я у Игорька спросила, кто эта женщина. А он говорит:

— Неужто не узнала, это Елена Ларина!

— Надо же, как она постарела! — я просто ахнула. А с нами еще одна девушка сидела, она и говорит:

— Она больше десяти лет в России не была! Жила в Испании, но, видимо, не очень-то счастливо, если сразу в Москву кинулась, как разрешили. И прямиком к своему старому любовнику. Видишь, как она на него смотрит.

Я уже все поняла. И буквально окаменела, а Райка продолжала трещать:

— Я возьми и спроси, кто этот мужик. А она отвечает: «Никита Вдовин, сценарист». Ну у меня сразу просветление — это он, твой Никита! Теперь все понятно, старая любовь не ржавеет! Он приехал, а тут она — здрасте! Говорят, у них была какая-то бешеная любовь, она требовала, чтобы он с женой развелся, а ее вдруг перестали снимать... Знаешь, как у нас бывает, не угодила кому-то, а может, его жена постаралась... Одним словом, тут подвернулся богатый испанец, влюбился-женился, и она слиняла, причем, говорят, тоже были трудности, но в конце концов она все же уехала. Ну вот... Одета она, Танька, классно, видно, что все дорогущее, и брюлики в ушах нехилые, но ей все-таки уже сорок лет. И лицо какое-то обсусленное. Она похудела здорово, ей не идет... А он, конечно, шикарный дядька. Ничего не скажешь, можно понять, что ты так... Ой, Тань, тебе что, плохо?

— Нет, мне хорошо! Мне просто прекрасно, сама, что ли, не понимаешь, как я счастлива! — не своим голосом заорала я. — И пусть он катится в...!

О, с каким наслаждением я вспомнила все матерные слова, какие знала с детства! И материлась я минут пять без перерыва. У Райки отвисла челюсть и глаза на лоб вылезли. Но она молча слушала, не перебивала. Когда я наконец выдохлась, Райка вдруг подскочила ко мне, обняла и сказала:

— Ничего, Танька, теперь я за тебя спокойна, ты не пропадешь! Если человек способен так материться, значит, у него большая жизненная сила. Молодец, Татьянка! Ну все, с этим мы закончили! Завтра с утра мотанем в Измайлово, я уж договорилась насчет места, столик возьмем там рядышком, у одного парня, так что...

— Рай, как же ты там на холоде? А голос?

— Завтра минус один, это не холод! Орать я не собираюсь, а вот одну хитрую штуку для заманивания покупателей придумала, такого там еще не было! Но пока я ничего не скажу. Давай работать, а то вдруг завтра все продадим, в воскресенье нечем торговать будет.

— Да ну, Райка, может, вообще еще ничего продать не удастся...

— Ты чего, обалдела? Даже думать так не смей, не то что говорить! Не волнуйся, со мной не пропадешь! Я тебя не кину, не то что некоторые. Кстати, имей в виду, я сегодня у тебя ночую, я уж с одним типом договорилась, он нас на тачке отвезет с нашим барахлом!

До поздней ночи Райка занималась психотерапией — рассказывала без умолку о своей учебе, о преподавателях, студентах и студентках, об артистах Театра оперетты и в результате так меня уболтала, что я заснула и проспала до самого утра. Первым делом взглянула в окно, не идет ли снег с дождем. Слава богу, погода была приличная, два градуса мороза. Совсем не холодно!

— Но одеваться все равно надо, как в сильный мороз, а то живо коньки отбросишь. Лучше всего валенки с калошами.

— А где их взять?

— Ну, сегодня, конечно, обойдемся, носки потеплее надень под сапоги, а дальше надо будет озаботиться. Ничего, припрет, найдем и валенки, и калоши, и платки пуховые... Только штанов побольше подденъ, да потеплее, а то простудишь самое интересное место, что тогда? Я вон, видишь, трое порток взяла!

— Райка, но это же ужас, на кого мы похожи будем?

— На всех остальных художников, там все так одеваются! Да не стесняйся, говорю же, нас на машине довезут.

Видок у нас, конечно, был еще тот, и мы долго ржали, глядя друг на друга. Кто бы мне вчера утром сказал, что я буду смеяться, я бы в рожу тому плюнула, а вот поди ж ты!

Когда мы наконец разложили свой товар, я подумала: «Господи, помоги»,— хотя в Бога никогда не верила. А Райка достала из сумки термос с чаем и еще какой-то ящичек, нажала на кнопку, и вдруг над аллеей понесся дивный голос: «Девицы, красавицы, душеньки-подруженьки, заходите, девицы, пончо покупать!» Я так и села.

— Ничего идейка, а? — с гордостью сказала Райка. — Орать-то сама я тут не могу, а так и товару реклама, и мне заодно! Вдруг какой знатный иностранец заинтересуется.

— Как бы нас отсюда не шуганули за такую рекламу! — испугалась я.

— Не дрейфь, Татьянка, у нас все получится, я знаю!

Как ни странно, но Райка оказалась права. Торговля у нас пошла. Ничего подобного нашим пончо никто не продавал. А вот фартучков и прихваток хватало, и были еще куда лучше моих. Хорошо, что я их немного сделала, на пробу. А сумок вообще ни у кого не наблюдалось. Хотя, конечно, сейчас, наверное, для холщовых сумок еще не сезон, это ближе к лету. К нам подходили не только покупатели, но и другие продавцы, вернее, художники, разговаривали, шутили, поздравляли с началом новой деятельности... Короче, мне там понравилось. А главное, мы распродали почти все — сорок два пончо! И заработали кучу денег. У меня просто голова кружилась, я такого не ожидала и уже думала, как лучше потратить деньги, но Райка сказала:

— Танька, погоди барыш подсчитывать! Во-первых, надо еще кое-кому тут заплатить, чтобы жить спокойно, чтобы столик не таскать через весь город и вообще, но это так, ерундовые деньги. А остальное надо пустить в дело.

— В какое дело?

— В наше, в какое же еще! На развитие производства!

Я только глаза вытаращила.

— Ну что ты на меня пялишься? Еще платков надо закупить, тесьмы, ленточек, того-сего. Но, конечно, и на жизнь тут останется. А мы ведь завтра еще наторгуем! Здорово пошло! Но вообще, советую начать думать, что дальше. Поверь мне, через неделю, через две, самое позднее, тут еще кто-нибудь начнет такими пончами торговать, да еще и получше, тут знаешь какие мастерицы есть, не нам чета! Поэтому, думаю, долго мы на пончах не продержимся. Ничего, что-нибудь придумаем! Ты вот про сумки говорила...

— Знаешь что, Рай, я считаю так: сегодняшнюю и завтрашнюю выручку делим как договорились, тебе тридцать процентов, это справедливо, ведь платки у Надьки я покупала, а дальше уж будем пополам...

— Танька, ты человек! — возликовала Райка. — Я и сама думала, только не знала, как тебе сказать, чтобы ты не обиделась. Все ж таки я тоже с тобой наравне буду. Класс! Давай на радостях тортик купим, а? Хорошая ты девка, с тобой можно дело иметь! Погоди, Танька, мы еще кооператив с тобой откроем!

По выходным дням мы ездили в Измайлово. Кроме пончо стали шить юбки. На вырученные деньги купили Райке в комиссионке швейную машинку, чтобы ей не приходилось каждый вечер ко мне мотаться. Как-то после каникул я столкнулась в лифте с Аллой Захаровной.

— Танюша, ты чего ходишь как в воду опущенная?

— Да так как-то... А знаете, Алла Захаровна, ваша кофейная гуща все наврала.

— Насчет чего это?

— Насчет любви, — вздохнула я.

— Таня, все у тебя будет!

— Наверное, что-то будет, только не с ним...

— Он что, умер?

— Да что вы такое говорите!

— Ну, если жив, то все будет, вот увидишь. Не веришь? Давай пойдем сейчас ко мне, и я тебе еще раз погадаю...

— Не стоит, спасибо, но не стоит.

— Как хочешь. Но когда все у тебя сбудется, ты мне тортик на радостях купишь, идет?

— О, тогда я вам не тортик, а тортище куплю, с шоколадным зайцем!

— Смотри, не надуй! — улыбнулась она.

В Измайлово у меня уже появился поклонник, молодой парень, который продавал стеклянные фигурки животных. Его звали Костей. Он каждый раз дарил мне шоколадку и приглашал в кино. Шоколадку я брала, а в кино не ходила. Но он не обижался. И часто подолгу стоял возле нашего столика. У Райки тоже были поклонники. Ее затея с магнитофонной записью, как я и предполагала, провалилась. Народ стал роптать. Мол, и так шумно. Но Райка не особо огорчилась.

— Не понимают люди искусства, а вроде художники!

Однажды я сидела одна в Измайлове, Райка куда-то ненадолго отлучилась. Покупателей пока было немного. Вдруг я услыхала английскую речь. Тут это бывало сплошь и рядом, хотя пончо большим спросом у иностранцев не пользовались, все больше у наших. И я даже головы не подняла, уверенная, что они пройдут к Вере Иннокентьевне, пожилой художнице, которая продавала свои пейзажи с церквушками. Они проходили у иностранцев на ура.

— Девушка, почем у вас эта красавица? — спросил вдруг веселый голос. Какой-то парень указывал на мою новинку — бабу на чайник. Я сшила ее на пробу, она получилась очень симпатичной. Я назвала цену.

— Таня, это ты?

Передо мной стоял Матвей, тот самый рыжий Матвей, с которым я познакомилась в новогоднюю ночь. Я почувствовала, что краснею.

— Привет!

— Что ты тут делаешь?

— Да вот, продаю...

Он был с тремя иностранцами. Два парня и девушка баскетбольного роста, на две головы выше Матвея, да и других парней тоже. Но хорошенькая. Только зубы какие-то лошадиные...

— Тань, а еще такая баба у тебя есть? Мои друзья из Оксфорда хотят купить штук пять.

— Нет, только одна, — огорчилась я. — Но если они хотят, я им могу сделать еще... К следующим выходным.

— Они завтра уезжают. Ничего, обойдутся! Но эту мы берем! — Он что-то залопотал с ними по-английски, они смеялись, показывали большой палец и заплатили мне... в пять раз больше, чем я просила.

— Матвей, они больше дали...

— Так я им столько и сказал, ничего, не разорятся! Для них это пустяк. Танечка, я страшно рад тебя видеть, даже сам удивляюсь, что так обрадовался. Ты что сегодня вечером делать собираешься?

— Приму теплую ванну и завалюсь спать.

— Ох, прости, я дурак, конечно, ты устаешь, наверное, как собака... А завтра?

— Завтра я опять тут с утра.

— Слушай, дай мне свой телефончик!

— Зачем?

— Ну, может, встретимся, в театр сходим...

— Нет, спасибо, Матвей, но я не хочу никаких встреч, сыта по горло!

Я не собиралась ничего этого говорить, но при виде его все опять ожило и стало так больно...

— Ну, прости, я не хотел тебя обидеть. Ладно, будь здорова!

И он ушел вместе со своими англичанами.

Вскоре примчалась Райка, веселая и довольная.

— Танька, ты чего так сбледнула? Заболела, что ли?

— Да нет...

— А я гляжу, бабу-то твою купили! Надо же! За сколько продала?

Я молча показала ей деньги, которые все еще держала в руках как дура. Она внимательно на меня посмотрела.

— Ты чего, призрака видела? Никитос твой тут шалался?

— Слава богу нет.

И я все ей рассказала.

— Нет, Танька, ты все-таки еще мало в жизни трахалась.

— Что? — не поняла я.

— Ты еще не настоящая женщина! И не смотри на меня так, объясняю: что сделала бы на твоем месте настоящая женщина? Вцепилась бы мертвой хваткой в этого типа, завела бы с ним шашни или хотя бы легкий флирт и каким-нибудь хитрым макаром заставила бы его пойти с тобой в Дом кино, или, еще лучше, в гости к дяде

Никите! Представляешь эффект? Вот бы он имел вид! А еще лучше вообще заморочить парню голову и выйти за него замуж. Говоришь, он гениальный математик? Это перспективно! А ты, дура, просто сомлела. Хорошо, все-таки твоя кулацкая натура не позволила тебе от лишних башлей отказаться! Дурища ты, как есть дурища!

— Пусть я дурища, а ты лучше? Тебе твой Игорь Глотов противен, и ты его шугаешь, хотя выйти за него было бы для тебя выгодно...

— Да он же в койке ничто! Пустое место, бычок от «Беломора»! Мне нужен муж не только для престижа. Я уже распробовала это дело, кое-что понимаю, а ты еще нет... Он тебе противен, этот математик?

— Нисколько. А вообще мне все противны. Даже подумать не могу ни о ком.

— Я ж говорю, дура! — вздохнула Райка. — Но если он тебе противен, могла бы хоть о подруге подумать...

— А чего о тебе думать? Ты сама не теряешься.

— Ой, до чего ж ты в каких-то вещах малахольная, вся в свою Милочку!

— Да уж какая есть.

На другой день Матвей появился вновь, уже один и с букетиком мимозы.

— Гони Матвея в дверь, так он войдет в окно! Привет, красавицы! Вы как размножаетесь, почкованием?

— Делением! — ответила Райка. — Ты Матвей, а я Раиса.

— Очень приятно!

И Райка начала напропалую кокетничать с Матвеем. Я только диву давалась, до чего легко и ловко у нее это получалось. И в результате он пригласил нас обеих завтра в кино. Вечером, когда мы ехали из Измайлова, Райка сказала:

— Татьянка, ты хочешь завтра в кино?

— Райка, дальше не объясняй ничего. Я не пойду! Бери себе Матвея со всеми потрохами!

И я не пошла с ними. На следующий день Райка позвонила мне:

— Тань, парень, конечно, классный, но зануда!

— Зануда? Странно, по-моему, он как раз не зануда.

— Это как поглядеть. Он весь вечер говорил только про тебя. Влюблен по уши. Скажешь, это не занудство? Еще какое! Может, подумаешь на эту тему, клево могло бы получиться! Выйдешь за Матвея, Никита твой уссытся! Между прочим, Матвей спросил, любишь ли ты Никиту, как у тебя с ним, а я сказала, что никак...

— Что ты еще сказала?

— Да ничего! Что тут скажешь. Я хотела его захороводить. А он... ну и фиг с ним. Не больно-то и надо!

До чего ж у Райки все-таки легкий характер. Она о своем Владике давно и думать забыла, а мне по ночам часто снится Никита, такой нежный, ласковый, и я просыпаюсь в слезах. Днем я уже приучила себя не думать, не вспоминать, а что со снами сделаешь? Но даже Райке я ничего об этом не говорю. Зачем?

Матвей звонил еще несколько раз, приглашал куда-то, но я отказывалась. Один раз он не выдержал и спросил:

— Таня, признайся честно, если бы я не был знакомым Никиты, ты бы тоже меня шуганула, а?

— Честно? Не знаю.

— А забыть об обстоятельствах нашего знакомства не можешь?

— Нет, наверное. Ты прости, Матвей...

— Ладно, Таня, я все понял и не буду больше к тебе приставать. Но знай: ты — девушка моей мечты. Вот, даже в рифму получилось. Может быть, со временем ты поймешь, что я не вру... И что не все особи мужского пола так уж плохи. Я позвоню тебе через годик...

Прошло еще несколько дней. Мы с Райкой опять поехали в Измайлово. Уже весна, начало марта, и я решила сшить на пробу несколько сумок. Холста мы не достали, но Надя сказала, что может достать мешковину. Если ее приклеить к тонкому поролону, может получиться очень неплохо. Я попробовала, получилось и вправду здорово. А на готовую сумку я сделала два кармана из яркого ситца в мелкий цветочек. Райка, когда увидела, пришла в полный восторг.

— Тань, а представляешь, если к лету наделать таких сумок, а к ним юбки из этого же ситца! Пойдет на ура! Молодец! Но и я тоже — молодец, что все это затеяла! Мы ж теперь живем, как люди, правда времени ни фига не остается, но, говорят, в Америке все так живут, свободного времени нет совсем. Ну и хрен с ними, с америкашками! А мы сами по себе! И я сегодня пробуду с тобой только до обеда, потом у меня свиданка! И не возражай!

— А я и не собираюсь! Иди куда хочешь!

— Ты обиделась?

— И не думала.

— И тебе неинтересно, с кем у меня свиданка?

— Не-а, все равно ты сама скажешь!

— Это правда, — засмеялась Райка. — С одним иностранцем! Он грек, можешь себе представить! Его зовут Демис.

— Случайно, это не Демис Руссос?

— Случайно нет, Демис Руссос такой толстый, фу! Хотя поет классно! Этот Демис сам не поет, зато мое пение оценил! Просто шары выкатил, как услыхал... Он какой-то театральный деятель там, в Греции, ему уже тридцать два года... Красивый, между прочим, рост — метр девяносто! И неженатый!

— Поздравляю!

Сумки из мешковины имели успех. Все пять штук продались за два часа. И Райкина идея насчет юбок из такого же ситца мне нравилась. К этому можно будет делать еще и косыночки... Вопрос только в том, где найти тонкий поролон...

Когда Райка убежала к своему греку, ко мне сразу подошел Костя.

— Привет, Танюша!

— Привет!

— О чем задумалась?

— Соображаю, где найти тонкий поролон.

Он засмеялся.

— Неромантично, Таня! А ты о любви когда-нибудь думаешь?

— А чего о ней думать? Выдумки все!

— Нет, не выдумки. Разве ты не видишь, как я к тебе отношусь...

— Почему? Вижу. Но разве это любовь?

— А ты как думала?

— Да ладно тебе, Костя, не трынди!

— Фу, Таня, что за выражения для нежной девушки!

— Я еще и не такие выражения знаю! — засмеялась я. — Будешь приставать, так пошлю...

— Интересно! Надо попробовать!

Но тут к его столу подошли покупатели, и он побежал к ним. А я решила выпить горячего чая. Чай был сладкий, а булочка свежая. Ах, хорошо! И вдруг я почувствовала чей-то взгляд. Подняла глаза, думала, покупатель, бывают здесь такие деликатные, видят, девушка ест, и ждут... Но покупателя не было видно, а взгляд я чувствовала. Мне вдруг стало как-то тревожно. Я огляделась и чуть не вскрикнула. У дерева неподалеку стоял Никита и смотрел на меня. И лицо у него было какое-то... перевернутое... Заметив, что я обнаружила его, он медленно пошел ко мне. Я застыла от ужаса, что он видит меня в этом платке, в тулупчике, в валенках... Но тут же взыграла гордость. Ну и черт с ним! Пусть видит!

— Танечка, здравствуй! — хрипло сказал он, нависая над моим столиком.

— Здравствуйте! Вы хотите что-то купить? Пожалуйста, вот, хотите бабу на чайник? Знаете, какой вкусный чай получается...

— Таня, перестань! Прошу тебя, нам надо поговорить!

— Нет, не надо! Не о чем, все уже переговорено! Хватит!

— Таня, я должен тебе все объяснить... Я страшно виноват перед тобой, я, безусловно, вел себя как последняя скотина. Прекрасно отдаю себе в этом отчет. Но я... Короче, я прошу у тебя прощения! Сможешь простить меня?

— Зачем вам мое прощение? Чтобы совесть не мучила? Так вы в церковь сходите, покайтесь, поп грех отпустит, и живите себе спокойно. Небось не в первый раз с вами такое...

— Таня, давай встретимся где-нибудь, поговорим спокойно...

— Спокойно у меня не получится. И ступайте отсюда, пока я вас не послала. Я далеко могу послать!

— Значит, любишь меня еще?

— Да что это вы говорите? Я вас ненавижу! Вы... Я думала, вы необыкновенный, чудо в перьях, принц из сказки на белой «Волге», а вы просто киношник, бабник самый последний, вот и катитесь отсюда колбасой!

Вся обида, боль, тоска последних месяцев подступила к горлу, я начала задыхаться, но слез, слава богу, не было.

— Танька, я тебя люблю, дурочка!

— Любите? Да подавитесь вы вашей любовью! Чтоб вас приподняло и прихлопнуло!

— Таня, — развеселился он. — Танечка, успокойся.

— Ах успокоиться? Я успокоюсь, когда вы отсюда свалите к е...ой матери!

Он расхохотался.

— Хорошо, я уйду! А ты успокойся. Будь здорова!

Он повернулся и быстро ушел. А я разревелась.

Ко мне подбежала Вера Иннокентьевна.

— Таня, девочка, что случилось?

— Ничего, просто послала одного типа...

— Он тебе нахамил?

— Нет, он меня бросил, а теперь приперся прощения просить, сука!

— Танечка, он кобель!

— И кобель, и сука!

— Поняла! — погладила меня по голове Вера Иннокентьевна. — Только зачем ты сама-то с таким связалась, он же тебе в отцы годится...

— Это точно. У меня у самой отец такой же кобелина... Бросил нас с матерью, когда я совсем пацанкой была, и с тех пор я ничего о нем не знаю и знать не хочу! Вот и об этом тоже не хочу ничего знать! Гад такой!

— Ох, как ты его любишь! А зря, лучше б на Костика внимание обратила, золотой парень.

— Да пошли они все! Обойдусь! Одной лучше!

— То-то и беда, что не обойдешься... Ой, кажется, иностранцы идут.

Она поспешила к своим пейзажам с церквушками, а я пила остывший чай, который все норовил выплеснуться из кружки, так у меня дрожали руки. Но все-таки я была собой довольна. Не рассиропилась и высказала ему то, что наболело. Мне даже легче стало на душе. По крайней мере, все кончилось. Он ушел. Ему небось тоже полегчало, все-таки попросил прощения... Но как он тут оказался? Откуда узнал, что я тут? Неужели от Матвея? Больше не от кого...

Покупателей почему-то не было. Видимо, их отпугивал мой вид, и я решила, что на сегодня хватит. Внутри у меня была какая-то странная пустота. И легкость. Добравшись до дома, я первым делом налила ванну, напустила туда пены «Бадузан» — я теперь могла себе позволить такую роскошь — и целый час отмокала там с закрытыми глазами, ни о чем и ни о ком не думая.

И вдруг раздался звонок. Наверное, Райка или Алла Захаровна. Я выскочила из ванны, накинула халат, полотенце на голову и побежала открывать. На пороге стоял Никита.

Я растерялась, отпрянула, придерживая халат, полотенце свалилось с головы, мокрые волосы рассыпались.

— Вы зачем? — еле ворочая языком, спросила я.

— Вообще-то не зачем, а за кем, за тобой, я хотел повести тебя куда-нибудь, но ты же вся мокрая...

Глава 7
НАШЛА СЕБЕ БЛОНДИНА!

На другой день он переехал ко мне. Взял из дому два чемодана с одежкой и пишущую машинку. Дал мне довольно толстую пачку денег и сказал:

— Бери столько, сколько сочтешь нужным. Когда увидишь, что осталось мало, скажи мне.

Я тоже достала деньги, которые скопила от торговли в Измайлове, присоединила их к его деньгам и сказала:

— Ты тоже бери, когда тебе нужно...

— Ого! — Он посмотрел на меня с уважением. — Но с торговлей надо кончать.

— Почему? Там же художники...

— Тебе надо учиться.

— Я учусь... — сказав это, я вдруг отчетливо поняла, что больше не появлюсь в университете. Какими глазами я буду смотреть на Сашку? Это во-первых, а во-вторых, я совсем уже не хотела быть геологом.

— Надо учить языки! Таня, наступает новое время, и от этого никуда не денешься. Я найду тебе хорошего преподавателя, будешь учить английский, а там посмотрим. И, по-моему, ты не очень-то жаждешь заниматься геологией, а?

— Да, наверное...

— Если только из-за Саши, то это я улажу.

— Нет, не только...

— Но тогда бросай это все, зачем зря время тратить.

— Хорошо, геологию я брошу, а вот Измайлово — нет! Я не могу подвести Райку, это раз, и потом, я там хорошие деньги получаю, просто грех было бы бросить, и еще... мне это нравится! Скоро лето, мы много чего придумали, а я вдруг соскочу... Нет! А что ж я целыми днями буду тут делать? Щи варить?

— Ну, положим, щи ты варишь неважно, — засмеялся он и поцеловал меня. А когда он меня целует, я просто не могу с ним спорить. Но все же я настояла на своем! И не потому, что он так уж легко согласился с моими доводами, а потому что в моей крохотной квартирке ему трудно работалось. Особенно когда я была дома. Он вообще както плохо помещался в ней. Но зато теперь он отвозил меня в Измайлово на своей «Волге» и вечером забирал.

Алла Захаровна уехала в дом отдыха, а к ее возвращению я купила в кондитерской, что напротив Елисеевского, большущий шоколадно-вафельный торт с шоколадным зайцем, как и обещала. Торт был дорогой, да еще пришлось переплатить, потому что теперь почти все стало дефицитом. Но я была так счастлива, что никаких денег не пожалела бы... Каждый раз, возвращаясь домой, даже из булочной, я замирала у своей двери, боясь, что мне все только приснилось, а наяву никто меня в квартире не ждет, но, приложив ухо к двери, я слышала стук пишущей машинки и, умирая от счастья, на цыпочках входила в квартиру. Он иногда мог целый день сидеть за столом, не обращая на меня внимания, но я не обижалась, а занималась своими делами. Швейная машинка теперь стояла на кухне, и там я шила свои сумки и юбки. Райка почти не появлялась. Почему-то Никита внушал ей страх.

— Я его боюсь, — призналась она мне по телефону.

— Боишься? Да почему? — удивилась я.

— Не знаю, он какой-то... неродной. Какой-то слишком взрослый, понимаешь? И как ты с ним живешь?

— Хорошо живу, Райка, как в сказке.

— А он тебе не запретил со мной водиться?

— Да ты что? С какой это стати? Он мне вообще ничего не запрещает.

Но Райка, кажется, не верила. Когда по выходным Никита приезжал забирать меня из Измайлова, он всегда подвозил Райку, куда ей нужно, однако я чувствовала, что она всякий раз при нем зажимается, что ей абсолютно несвойственно.

Но вскоре нашему бизнесу пришел конец. Как-то вечером Райка позвонила мне, и голос у нее был жутко взволнованный.

— Татьянка, мне надо с тобой встретиться!

— Что-то случилось?

— Не то слово!

— Ну что, говори скорее! — испугалась я.

— Не по телефону! Можешь завтра с утра со мной встретиться в центре?

— Могу, конечно.

— Тогда давай в десять часов, нет, лучше в одиннадцать возле «Праги». Со стороны старого Арбата. Договорились?

— Райка, хоть намекни, это плохое или хорошее?

— А я знаю? Вот хочу с тобой посоветоваться, чтобы понять, плохое или хорошее. Все, подружка, целую крепко, ваша репка!

Она хочет посоветоваться со мной... Плохое или хорошее... Наверняка залетела и думает, делать аборт или рожать. А что я ей скажу? Конечно, если она родит, то ее мать, наверное, согласится воспитывать ребеночка, она неплохая тетка. Тогда, конечно, лучше родить, сколько можно делать аборты, потом и вовсе не родишь... Так Райке и скажу, решила я и успокоилась.

— Ты о чем тут задумалась? — раздался ласковый голос. В дверях кухни стоял Никита и улыбался. Как ему тут, наверное, тесно, мелькнуло у меня в голове. — Танюшка, я голодный!

— Садись, я сейчас! — засуетилась я.

...Ровно в одиннадцать я подошла к «Праге». Райка уже меня ждала. Вид у нее был сияющий. Какая она хорошенькая, подумала я.

— Привет, Татьянка! Молодец, что не опоздала, пошли скорее!

— Куда?

— Как – куда? В «Прагу»!

— Зачем?

— Завтракать!

— Райка, ты ненормальная? Завтракать в ресторане! И вообще, я уже завтракала!

— Это будет второй завтрак, как в приличном обществе принято. Пошли, пошли, я угощаю!

Нет, дело тут не в беременности, тут что-то совсем другое...

В ресторане Райка вела себя уморительно — играла в светскую даму. Пожилая официантка даже улыбнулась устало и снисходительно, наверное, навидалась за свою жизнь таких светских дам. Когда она отошла, я не выдержала:

— Ну говори, что стряслось!

— Я замуж выхожу, Танечка! — с таким восторгом заявила Райка, что я даже удивилась.

— Поздравляю! А за кого? За грека?

— Ха! Грек для меня мелко теперь! Подымай выше! За американца! За настоящего американца! Но это еще полдела! Он знаешь кто? Угадай!

— Да как я угадаю? И когда же ты успела?

— Танька, все как во сне! Мы познакомились неделю назад, а вчера днем он сделал мне предложение! Руки и сердца! И подарил вот это! — Она протянула руку, на пальце у нее было колечко. Золотое с прозрачным камушком.

— Танька, это бриллиант! Настоящий! Два карата, представляешь? Ну, ты будешь угадывать?

— Да чего тут угадывать, миллионер, наверное...

— Дело не в этом, я не знаю насчет миллионов, но он... музыкальный продюсер! И он сказал, что мой голос — это настоящий капитал, что я должна учиться не на опереточную певицу, а на оперную, что он будет заниматься моей карьерой и, если я буду по-настоящему работать, он сделает из меня певицу мирового уровня! Ну, как тебе новость?

— Новость — закачаешься! Поздравляю! Только не пойму, о чем тут думать и советоваться, тем более со мной? По-моему, все ясно, такой шанс упускать нельзя.

— Да я понимаю, но мне ведь придется уехать.

— Ну и что?

— Так-то оно так...

— Райка, ты что, его не любишь, да?

— Да что ты, обожаю просто! Но все-таки как-то стремно... Языка-то я никакого не знаю. Известно, как у нас языки в школе преподают, да и в институте тоже...

— А на каком же языке ты с ним разговаривала? На языке любви?

— Ну это само собой, — засмеялась Райка, — но он прилично знает русский, у него бабушка русская... Мне, Танька, страшновато все-таки...

— Да ерунда! Выучишь язык! Не проблема! Мне вот Никита нашел учительницу английского, на той неделе начну заниматься, он говорит, наступают новые времена, без иностранных языков никуда...

— Но тебе теперь придется одной в Измайлове отдуваться.

— А я не буду! Никита давно против, я не бросала из-за тебя в основном...

— Здорово, тогда моя совесть чиста! — обрадовалась Райка. — Нет, Танька, ты только представь, я буду жить в Америке! С мужем! И стану знаменитой певицей! Когда-нибудь приеду на гастроли в Москву, петь в Большом театре! Мне в ГИТИСе всегда твердили, что у меня не оперный голос, а Глен говорит, что это ерунда, что просто надо много работать, что у меня сказочный тембр, и вообще... Ой, Танечка, о таком я даже мечтать не смела...

— А сколько ему лет?

— Тридцать шесть. И он ни разу не был женат, а в меня сразу влюбился по уши... Как только будут готовы все документы, мы поедем в Париж, знакомиться с его мамой, а потом в Милан... Я буду учиться в Италии, представляешь?

— Никита сказал, что надо говорить не «представляешь», а «представляешь себе»!

— Да? Ну и фиг с ним! Я теперь буду говорить по-итальянски и по-английски и мне плевать... Ой, прости, Танечка, я не хотела...

— Да ладно, я поняла, что ты от счастья сдурела! Я сама иду домой и не верю своему счастью...

— Ой, Танька, ты смотри, как у нас с тобой все совпадает — то мы обе были брошенки, а теперь обе от счастья сбрендили. Давай шампусику дернем по такому случаю, а?

— С утра пораньше?

— А что? Самое оно! Девушка, можно вас! Принесите нам шампанского!

— Какая она тебе девушка, ей лет пятьдесят! — смутилась я.

— Большое дело! Ей еще приятно должно быть, что ее девушкой зовут.

— Сильно сомневаюсь! Райка, а как же ты говорила, что будешь жить в Америке, если учиться надо в Италии?

— Объясняю для непонятливых — дом у нас будет в Америке, а в Милане Глен снимает квартиру. У него основной бизнес в Америке, так что в Милане я пока что буду жить с его двоюродной сестрой. Она будет учить меня английскому и итальянскому... Она старая дева! Ей уже пятьдесят лет! И она будет меня опекать на первых порах, ну я же ничего в тамошней жизни не понимаю, и хозяйство будет вести, а моя задача, как сказал дедушка Ленин: «Учиться, учиться и учиться!»

— Только не объясняй этой тете, что «старая дева — несчастье любой компании»! — засмеялась я.

— Обязательно объясню, как только научусь это говорить! И может, еще найду ей мужичка!

— Ну ты даешь!

— Тань, слушай, а что, Никитина дочка в курсе?

— Почем я знаю?

— А ты ее не видишь, что ли?

— Не-а! Я бросила университет.

— Ой, правда? А почему?

— Не хочу учиться, а хочу жениться!

— Ясненько-понятненько... Да, Танька, как все меняется в жизни...

Мы долго сидели, болтали, пока Райка не спохватилась, что ей пора бежать к своему Глену...

— Тань, я буду тачку ловить, тебя куда подбросить?

— На Кузнецкий мост, сможешь?

— Запросто. А чего там, на Кузнецком?

— Заказ надо получить. Никита дал талончик.

— А! Продуктовый паек! Киношники там отовариваются?

— Нет, там писатели.

— А он у тебя разве писатель?

— Ага! Член Союза писателей!

— И чего он написал?

— Он еще пьесы пишет.

— Ух ты! А я и не знала, что он такой разносторонний!

Мы поймали машину, и Райка довезла меня до «Детского мира», оттуда до магазина было рукой подать. Я уже два раза получала там заказ, и оба раза стояла в длинной очереди. Но сегодня народу было совсем мало.

— Фамилия? — резко бросила мне кассирша.

— Вдовин, — с гордостью сказала я.

Она отметила что-то в длинном списке и выдала мне чек. Я пошла к прилавку.

— Таня? — раздался вдруг знакомый голос.

Я застыла на месте. Сашка!

— Привет! — едва слышно произнесла я. У меня язык прилип к гортани.

— Ты почему это получаешь заказ за моего папу? Погоди, это он что, к тебе ушел?

Я не знала, что ответить.

— У вас с ним, значит, любовь? Ну папаша дает! Вот борзый старик!

— Он не старик... — не придумала я ничего умнее.

— Но как вы снюхались, ты ж у меня всего один разок была? Обалдеть! А мы-то с мамой гадали, к кому это он слинял... И давно это у вас?

Самое странное заключалось в том, что она не злилась, не чувствовала обиды за себя и за мать, нет, ей просто было любопытно!

— Ну и что ты на меня так смотришь, я тебя не укушу, не думай! Но я просто в шоке! Тебе двадцать-то уже есть?

— Через месяц будет...

— А ты почему на лекции не ходишь? Из-за меня, что ли, чудачка? Не бери в голову, не бросать же из-за такой ерунды учебу!

— Из-за ерунды? По-твоему, это ерунда?

— А по-твоему нет? Думаешь, великая любовь? Знаешь, сколько у него этих любовей было? И еще, наверное, будет. Хотя совсем из дому он еще не уходил... А ты мне всегда раньше тихоней казалась, вот уж точно — в тихом омуте... Ну, считай, тебе повезло... И передавай привет Никите Алексеевичу. А мне можно будет к вам в гости прийти?

— Господи, конечно, можно! Приходи, когда хочешь!

— Танька, а ты что ж, теперь будешь моей мачехой? Обалдеть можно! Кому сказать — не поверят!

— Девушка, вы берете заказ? — прикрикнула на меня тетка в белом халате и сунула мне в руки коричневый бумажный пакет.

— Тань, я только дам тебе один совет. Ты ему детей не рожай! Ему дети не нужны. Он на них плюет!

— Неправда! Он тебя любит, он мне сам говорил...

— Ну мало ли что он говорил... Просто сейчас я уже взрослая, со мной есть о чем поговорить, а когда я была маленькая... Он всегда орал на меня, если я шумела. «Ты мне мешаешь работать! Не даешь сосредоточиться!» На тебя он еще не орал? Вы ведь в одной комнатке живете, насколько я понимаю? Ничего, еще начнет орать... Он у нас раздражительная творческая личность! От этих творческих личностей надо держаться подальше. Они все на себе зациклены. Ну, я побежала, папочке привет.

И она быстро ушла. А я еще долго приходила в себя.

По дороге домой я все думала: говорить Никите об этой встрече или промолчать? Но решила, что сказать все-таки надо, он ведь может узнать о ней от Саши. Но в то же время у меня как будто камень с души свалился. Я смертельно боялась встречи с Сашей, а теперь бояться нечего. Как хорошо, как будто вырвали больной зуб!

Когда я открыла дверь ключом, Никита выскочил мне навстречу.

— Танюха, наконец-то! Где тебя черти носят? У меня такая радость!

— Что?

— Таня, один мой сценарий, который ни за что не хотели брать целых десять лет, сейчас взяли! Это будет настоящее кино! А не вся эта бодяга, которую я писал последнее время. Танечка, милая, это ты мне принесла удачу! Ты мой талисман!

— Вот здорово! — обрадовалась я и повисла у него на шее.

— Танюха, я с тобой просто ожил, я другой человек, как будто скинул с плеч тяжкий груз...

— Никита, тебе привет от Саши.

— От какого Саши? Постой, ты хочешь сказать, что виделась с Сашкой?

— Вот именно! В магазине на Кузнецком!

— И что?

— Она догадалась, что ты... со мной...

— Она тебе нахамила?

— Нет, что ты... Она... сначала удивилась, а потом... спросила, можно ли прийти к нам в гости...

— Она еще не так удивится, когда увидит наше с тобой обиталище... — засмеялся он. — Нет, Танюха, мы тут жить не будем!

— Как?

— А вот так! В середине мая уедем с тобой в Пярну, как я тебе обещал, помнишь? Там будет все — и море, и розовая сирень, и копчушки. Я в последние годы езжу туда месяца на два, там удивительно хорошо работается.

— У тебя там родственники?

— Нет, никаких родственников, просто снимаю комнату у одной старой дамы. Я ей позвоню и попрошу сдать мне на сей раз не комнату внизу, а верх. У нее замечательный дом на улице Таамсааре — был такой эстонский писатель, — близко от моря, тишина, красота... Я там живу до конца июня, пока не начинается курортный сезон. Но в этом году мы, наверное, задержимся, надо же тебе искупаться в море... Ах, Танюха, как хорошо нам будет... Вот увидишь... А на лето снимем дачу под Москвой. Если все пойдет нормально, к зиме сможем купить квартиру. Танечка, ты ведь, наверное, хочешь замуж? Чтобы по-настоящему, с белым платьем, да?

Конечно, я хотела, какая женщина этого не хочет, но поняла, что нельзя ему об этом говорить, а почему, и сама не знаю.

— Нет, — сказала я. — Не хочу!

— То есть как? — опешил он. — Почему?

— Потому что тогда тебе будет со мной неинтересно. Ты поживешь со мной, поживешь и опять начнешь на сторону смотреть, и я стану для тебя обузой. А я не хочу! Лучше будем так жить... Невенчаные, как говорила моя бабка... Надоем я тебе, ты уйдешь, ты мне надоешь, я уйду...

Он побледнел! Разве он может кому-то надоесть, такой талантливый, такой красивый и умный? А я поняла, что сделала правильный ход. И еще поняла, что вот именно сегодня я стала женщиной!

С этого дня он часто смотрел на меня задумчиво, как будто пытаясь понять, что я за штучка. А я любила его на всю катушку! Мне было с ним так интересно! Он столько мог рассказать, столько всего знал... И друзья у него были интересные. Особенно один композитор, Леонид Николаевич, мужчина Никитиных лет, с длинными, совершенно седыми волосами. Трезвый он всегда молчал, но стоило ему немного выпить, как он заводил такие разговоры о музыке и музыкантах, что я слушала, открыв рот. И хотя далеко не все понимала, но каждый раз у меня было ощущение, что это со мной говорит не пьяноватый московский композитор, а сам Моцарт, к примеру, или Шопен... А потом он мог взять гитару и начать петь блатные песни, но они у него звучали совершенно особенно... Никита даже иногда ревновал меня к нему.

А еще я начала заниматься английским с пожилой преподавательницей из МГИМО. Она сказала, что у меня неплохие способности к языкам и ей приятно со мной заниматься. Одним словом, все у нас было хорошо!

В середине мая мы стали собираться в Пярну.

Дня за три до отъезда позвонила Райка и, задыхаясь от счастья, пригласила меня на свадьбу.

— Приходи с Никитой! Народу не так много будет, но публика опупенная! Если не придете, обижусь смертельно, все-таки свадьба не каждый день бывает!

— Райка, поздравляю! Что тебе подарить?

— Да ничего, Тань! Мы ж через неделю уезжаем! А на свадьбу всегда посуду какую-нибудь дарят, на фиг мне посуда, не попру же я ее в Париж! Поэтому просто приходите и все, ну цветы можете купить...

— Раечка, ну я-то приду, не сомневайся, а как Никита, я не знаю, у него перед отъездом много дел...

— Ничего слышать не желаю! К шести часам жду в Хаммеровском!

— Ого!

— А ты как думала! Была там?

— Нет.

— Ой, Танька, я тебя там на лифте покатаю!

— На лифте? Зачем?

— А там такие лифты клевые! Прозрачные! Танька, ты мое платье увидишь — обалдеешь! Глен из Парижа привез, умереть — не встать!

— Рай, а тетка твоя тоже там будет?

— Ой, не говори! Я не хотела, но мать уперлась, мол, родная кровь, как же без нее и все такое... Что-то Зинуля не вспоминала, что я родная кровь, когда в ментовку донос писала на нас... Но фиг с ней! Все, Танька, мне пора, дел невпроворот!

Я была почти уверена, что Никита откажется. Он всегда говорил, что терпеть не может советские свадьбы, особенно сейчас, в пору антиалкогольной кампании. Но тут неожиданно согласился.

— Я тебя одну не отпущу, это раз, а потом мне даже интересно. С чисто профессиональной точки зрения. Но тебе, Танюха, надо какой-то шикарный туалет!

— Какой туалет?

— Придумаем! Но моя женщина должна быть лучше всех! И будет!

Он достал записную книжку, кому-то позвонил, а потом посадил меня в машину и куда-то повез. Когда у него возникала какая-то идея, он не успокаивался, пока ее не осуществлял. Он привез меня в дом на улице Академика Павлова, в обычную пятиэтажку.

— А что здесь? — удивленно спросила я. Я ведь думала, что мы поедем в «Березку» или в какое-нибудь закрытое ателье, а тут...

— Не что, а кто! Будущее советской моды! — засмеялся он.

Мы поднялись на четвертый этаж. Нам открыла худенькая, не очень молодая и совсем некрасивая женщина.

— О, Никита! Привет! Это и есть твоя девушка? Красива, ничего не скажешь! Только уж очень молоденькая! Стареешь, что ли?

— Все мы не молодеем! Познакомься, это Танечка! А это наш великий модельер, Тина Примак!

— Что у вас за оказия? Свадьба? Но не ваша, так? И что вы себе мыслите?

— Я не знаю... — растерялась я.

— Ну это должно быть вечернее платье в пол или маленькое вечернее, или платье для коктейля? Где будет свадьба, народу ожидается много? Что за публика? Мне все надо знать, чтобы девушка в моем платье чувствовала себя удобно.

— Тинуша, эта история надолго? — поинтересовался Никита.

— Вы спешите? — недовольно поджала губы Тина.

— Танечка не спешит, а я, признаться, предпочел бы не присутствовать... Это ваши женские дела... Целиком полагаюсь на твой вкус. Кстати, моя Таня тоже девочка со вкусом, надеюсь, вы найдете общий язык и без меня. Я заеду часика через полтора.

— Лучше через два, — твердо заявила хозяйка квартиры.

Никита ушел.

— Ну, Таня, что надумали?

— Мне кажется, лучше всего костюм или платье-костюм, ну, чтобы можно было носить... как говорится, и в пир, и в мир, и в добрые люди... — испуганно выпалила я.

— Весьма здраво, — улыбнулась Тина.

Сама она была в джинсах и легкой полосатой рубашке.

— То есть длинное платье ты не хочешь?

— Нет, я не умею длинные платья носить.

— Наука, конечно, нехитрая, но... Что-то сегодня холодно, извини, я что-нибудь накину. — Она вышла в другую комнату и вернулась... в моем пончо, черно-белом с кисточками. Я обалдела.

— Откуда это у вас?

— Нравится? Мне тоже! Я его еще зимой в Измайлове купила. Ну так что у нас...

— Это я его сшила...

— Что ты сшила?

— Пончо! И я их продавала в Измайлове!

— Нет, я точно помню ту девушку, такая темненькая, востроглазенькая.

— Это Райка, моя подруга, я на ее свадьбу иду!

— Да неужели? Вот совпадение! — рассмеялась Тина. — А я это пончо просто обожаю, такая удобная штука... Значит, мы в известном смысле коллеги? Отлично! Ну, коллега, у меня есть ткани, давай поглядим, выберем, и я наколю прямо на тебе. Я шью по наколке... А пока будешь выбирать, расскажи-ка мне про подружку, за кого это она замуж выходит, если свадьба в Хаммеровском центре?

Она выложила передо мной целую кучу отрезов и рулонов. И я сразу увидела то, что хочу! Легкий шелк бирюзового цвета.

— Вот это можно?

Она набросила на меня ткань.

— Точно, это твое! Надо же, глаз-алмаз! Немного, конечно, вызывающе, но в твоем возрасте и с твоей внешностью будет отлично, а фасон надо скромный и элегантный.

Она долго со мной возилась, накалывала ткань то так, то эдак, вертела меня во все стороны.

— Ну что ж, пожалуй, все более или менее ясно. — Она еще чертила что-то мелом на ткани, потом набросала фасон на листке бумаги. — Вот так примерно это и будет выглядеть. С жакеткой скромный костюм, а если снимешь, все попадают. Спина будет голая, вот только тут сделаем небольшую планочку... Нравится?

— Очень! А может, юбку немножко покороче? — робко спросила я.

— Ни в коем случае, все пропорции полетят к черту, к тому же с короткой юбкой платье станет вульгарным. Колени должны быть прикрыты сантиметров на пять–семь. Ну это мы решим на примерке. Примерка завтра, ровно в одиннадцать утра. И не опаздывай! Слушай, а ты хорошо шьешь?

— Да нет, я так... даже себе платья не шью, я все больше прострочить, подкоротить...

— Ты работаешь? Или учишься?

— Училась на геологическом, но бросила...

— А я хотела тебе предложить со мной работать. Пока на подхвате, в качестве мастерицы, а потом, глядишь, с твоими способностями и сама бы научилась классно шить и моделировать. Можно потом пойти учиться, а пока пройдешь у меня хорошую школу.

— Спасибо, но мы на днях уезжаем надолго.

— Жалко, ты мне понравилась. Ну что ж, нет так нет. Но если потом надумаешь, я с радостью тебя возьму.

Когда Никита приехал, мы уже все закончили.

— Ну как? Что будем шить?

— Увидишь! — засмеялась Тина.

— Но хоть какого цвета?

— Красивого, можешь мне поверить. Твоя Таня затмит всех, не сомневайся!

— Я и не сомневаюсь. Она и так уже всех затмила! Ну что, поехали?

Я была страшно довольна. Мне заказали платье у настоящего модельера! Никита объяснил, что Тина — сестра его старого друга, ей было трудно пробиться, но сейчас, кажется, что-то стронулось с места, и она вскоре сможет открыть свое ателье...

Когда я сказала ему, что Тина носит мое пончо, он долго хохотал, целовал меня, а потом повез обедать в Дом кино. К счастью, мы там не встретили его жену, но зато я видела много знаменитостей и даже Эльдара Рязанова!

Платье получилось, как выражается Райка, опупенное! Никита, увидев меня в нем, просто остолбенел.

— Тинка, ты что с моей Таней сделала, куда ты ее девала? Это какая-то другая девушка, незнакомая... Но хороша, черт возьми, да чего хороша!

— У тебя сертификаты есть?

— Есть, а что?

— Вези Таню в «Березку»! Надо купить туфли!

— У меня есть! Черные, лаковые...

— Не годится! Надо купить перламутровые или серебряные, можно босоножки на высоком каблуке, но черные — исключено!

— Хорошо, купим, кстати, говорят, что «Березки» скоро прикроют!

— Я тоже слышала, — сказала Тина. — Вполне может быть, что вы ничего подходящего не найдете, на худой конец можно светлую замшу...

Ничего подходящего мы действительно не нашли. Правда, была одна пара очень красивых замшевых шпилек, но на номер меньше, чем мне нужно. Я в них все-таки влезла, но это была пытка! Я чуть не плакала. Никита задумчиво повертел туфли в руках, а потом сказал:

— Ничего, берем! Я знаю, что делать! Отдадим в растяжку. На один номер всегда можно растянуть!

Туфли были куплены, и мы поехали к его знакомому сапожнику, который работал в мастерской возле рынка у метро «Новокузнецкая».

Никита объяснил ему, в чем дело. Сапожник по имени Ашот недовольно покачал головой. Заставил меня надеть одну туфлю, поцокал языком и сказал:

— Вах, Никита, такие красивые ножки зачем уродовать? Все равно ей будет больно, даже если растянем, они ж на полтора размера меньше! Предлагаю достойный выход — срежем нос, чтобы пальчики наружу! А иначе твоя девушка мучиться будет, тебе это надо?

Мне было жалко резать такие красивые туфли, но с другой стороны...

— А не будет заметно, что...

— Не будет! Такую работу во всей Москве, кроме Ашота, никто не сделает, будут говорить, что нельзя, не получится. Все можно, все получится, если ты не ленивый и творчески подходишь к делу! Конечно, такая работа стоит недешево!

— Ничего, не разоримся! — успокоил его Никита. — Завтра сделаешь?

— Сделаю, не сомневайся. И даже возьму с тебя не очень много, я всегда добро помню, ты не думай! А что недешево такая работа стоит, это я твоей девушке объяснял!

Когда мы сели в машину, я спросила:

— Какое добро он помнит?

— Да ерунда! Я когда-то привез ему из-за границы лекарство для ребенка.

А сумки к туфлям не было.

— Ничего, обойдешься без сумки, — смеялся Никита, — положишь все ко мне в карман. Таким образом, я буду держать тебя на коротком поводке, потому что в этом платье ты сведешь с ума всех мужиков! А я ревнивый, имей в виду!

По случаю Райкиной свадьбы Никита надел белую рубашку с галстуком, и ему это очень шло. Светло-серый костюм сидел на нем так элегантно!

В Хаммеровском центре и вправду было, как в заграничном кино!

— На лифте хочешь покататься? — с улыбкой спросил Никита.

— Хочу! Мне Райка обещала...

— Зачем? Я сам тебя прокачу!

Когда лифт резко пошел вниз, у меня все внутри оборвалось.

Но все-таки мне понравилось. Молодожены задерживались. Но я увидела Райкину мать и тетю Зину. Они испуганно озирались. Я подошла к ним.

— Ой, здрасте! А где же Рая?

— Сейчас приедет, они нас вперед отправили, а тут такие строгости, нас сперва и пускать не хотели. И кому это надо! — ворчала тетя Зина. — А ты, я смотрю, цветешь! Твоя-то свадьба когда?

Но тут появились молодожены! Райка в роскошном платье цвета чайной розы, которое необыкновенно шло ей, без дурацкой фаты, с живыми цветами в темных волосах, какая-то совсем другая, как будто уже не москвичка, а иностранка, и ее муж, высокий, очень худой, в очках, с приятным лицом. Мой Никита в сто раз красивее, с гордостью подумала я. И шагнула к подруге.

— Райка, поздравляю!

— Танька, привет! Познакомься, это мой муж! Гленчик, это моя Танюшка, я тебе говорила! А Никита где?

Но тут подошел Никита. Они обменялись рукопожатием с Гленом, Райке Никита церемонно поцеловал руку, отчего она зарделась.

— Танька, я писать хочу, умираю, пошли со мной! Гленчик, мы пойдем носики попудрим!

— А куда идти?

— Я знаю, пошли! Ой, Танька, свершилось! Но чего нам это стоило! Перестройка перестройкой, а брак с иностранцем такая морока! Как тебе платье?

— Опупенное! — засмеялась я. — У тебя в нем совсем парижский вид!

— У тебя, кстати, тоже платье — умереть не встать! Где брала?

— Мне Никита заказал у модельера...

— Танька, во жизнь пошла! А как тебе мой Гленчик?

— Очень милый!

— Не то слово! Слушай, а под жакеткой у тебя что? Покажь! Ух ты! Вот это да! Смело! Только попа прикрыта! Ну пошли! Жрать хочу, умираю! Ничего сегодня не ела! Кошмар какой-то! Ну теперь все, можно праздновать!

Народу было много, человек сорок, но совершенно разношерстных. Со стороны невесты кроме матери, тетки и двоюродной сестры с мужем, которая явно умирала от зависти и потому презрительно кривила губы, были еще две подружки из ГИТИСа. Зато со стороны жениха! Знаменитая балерина с мужем-балетмейстером, еще какие-то знакомые по телевизору лица, пожилая меццо-сопрано из Большого театра с молодым спутником и еще какие-то люди. Никита тоже встретил тут знакомого, это оказался композитор, писавший музыку к двум его фильмам. Они обнялись, и Никита подозвал меня:

— Вот, Миша, познакомься, это Таня, моя жена!

У меня, как говорится в басне, в зобу дыханье сперло!

— Слышал, слышал о твоих переменах, но не думал... что вы такая красивая! Поздравляю, ручку можно поцеловать?

Когда композитор отошел, я пролепетала:

— Ну зачем ты...

— А как мне прикажешь тебя представлять? Моя спутница? Моя девушка? Это, знаешь ли, неприлично! И потом, мы все-таки живем как муж и жена, так в чем проблема? В штампе? Но я же тебе предлагал... А разве ты не считаешь меня своим мужем?

Что это с ним? Но должна признать, мне было приятно до чертиков.

Я взяла его за руку и подвела к Зине.

— Тетя Зина, хочу вас познакомить со своим мужем!

У нее отвисла челюсть. Но она взяла себя в руки, окинула Никиту оценивающим взглядом и заявила:

— Нашла себе блондина! — И засеменила прочь.

— Что она хотела этим сказать? — озадаченно поинтересовался Никита.

— Понятия не имею!

Так это и осталось для нас загадкой.

Глава 8
ТРАУТЕ КАРЛОВНА

Через три дня в шесть часов утра мы уехали в Пярну.

— Надо бы тебя научить водить машину, могла бы сменять меня за рулем.

— Ой, правда? Пожалуйста, научи! — взмолилась я.

— Вот в Пярну и научу! — пообещал Никита и включил магнитофон с записями Высоцкого. Я сидела на переднем сиденье белой «Волги» рядом с мужем, и мы ехали к морю! Оказывается, принца можно встретить даже в лифте. Нашла себе блондина! Я никогда еще не путешествовала на машине, если не считать переездов в грузовике с геологической партией в детстве, но это совсем не то!

— К вечеру будем в Ленинграде, переночуем там... Ты была в Ленинграде?

— Нет.

— О! Тогда проведем там завтрашний день, надо тебе хоть одним глазком взглянуть на эту красоту, потом еще день в Таллине, мне надо кое с кем повидаться, и двинем в Пярну. А на обратном пути поедем через Пушкинские горы, Михайловское, Тригорское...

— А я там была, меня Милочка возила на экскурсию. Там такая красота!

По дороге мы останавливались, пили кофе из термоса — Никита приучил меня пить кофе, — ели крутые яйца, пирожки с капустой, — я напекла под руководством Аллы Захаровны — и почему-то беспрерывно смеялись.

— Танька, я с тобой молодею, — говорил Никита и целовал меня. Я никогда еще не была так счастлива. Я чувствовала себя как за каменной стеной. Ведь рядом был мой любимый, мой муж, умный, сильный, талантливый, который все понимает, все умеет, все может...

В Ленинграде мы остановились в «Астории», старинной гостинице со старинной мебелью. Номер был огромный, двухкомнатный, из окон был виден Исаакиевский собор... Мы провели сказочную ночь на широченной кровати. Дома мы спим на узкой тахте, а тут... Никита назвал эту кровать «сексодромом», я смеялась, а он сказал, что это не он придумал. Но я не верила! За окнами было так светло, что пришлось даже задернуть шторы.

— Это и есть белые ночи?

— Ну конечно. О сколько нам открытий чудных... — засмеялся он.

С раннего утра до поздней ночи мы таскались пешком по Ленинграду. Я совершенно ошалела от этой красоты и роскоши, хотя и порядком обветшалой.

— Музеи отложим на следующий раз, — говорил Никита. — Тогда и в Павловск съездим, и в Царское село. Тебя ждет еще много чудес. Нам сегодня здорово повезло с погодой, солнечные дни в Ленинграде я всегда воспринимаю как подарок судьбы.

А утром за окнами сыпал мелкий дождик, небо было серым, и только золотой купол Исаакиевского собора напоминал о вчерашнем. И Никита с утра тоже был какой-то хмурый, у него болела голова. Он не стал включать магнитофон, и мы ехали молча. Он нечасто бывает мрачным, но уж если такое на него находит, лучше его не трогать. Я и не трогала, сидела тихо и думала. Странно, он ведь ничего мне не объяснил, когда пришел ко мне. Не сказал, почему после возвращения из Таллина пропал на долгий срок. А я не спрашивала. Сначала от неожиданно свалившегося на меня счастья, от которого я и по сей день еще толком не опомнилась, а потом, когда все-таки могла уже рассуждать, я решила: не буду ни о чем спрашивать, захочет — сам скажет. Причин сомневаться в его любви у меня не было. К тому же он творческая личность. Однажды, когда я назвала его «творческой личностью», он засмеялся, щелкнул меня по носу и сказал:

— Танюха, чтобы я больше этого не слышал!

— Почему? — удивилась я.

— Неприлично!

Я опять ничего не поняла, но уже промолчала. И все же я нередко объясняю себе какие-то его поступки тем, что он творческая личность, но вслух этого не произношу. Я вообще научилась больше помалкивать, особенно при его знакомых, тоже творческих личностях. Но ушки держу на макушке. Однажды в компании молодой, талантливый, по словам Никиты, сценарист сказал что-то о себе и произнес «в моем творчестве», его просто подняли на смех, а Никитин приятель, знаменитый оператор Илья Наумович, объяснил:

— Друг ты мой, к себе надо относиться с юмором, а уж к своим «творениям» в особенности! То есть в душе ты можешь считать себя кем угодно: гением, мессией, это твое глубоко личное дело. Но в приличной компании лучше это скрывать за легкой самоиронией. Безопаснее, друг ты мой! По крайней мере, за твоей спиной люди не будут крутить пальцем у виска и умирать со смеху: видали идиота? Никому не придет в голову издеваться над тобой, если ты сам над собой издеваешься. Так что в целях самосохранения советую воздерживаться от подобных выражений!

Он так здорово все растолковывал!

Весенний Таллин был еще прекраснее зимнего! Мы остановились в гостинице «Палас» на площади Победы. Совсем рядом был Русский драматический театр, где, оказывается, шла Никитина пьеса! А я не знала!

— Никита, я хочу посмотреть! — взмолилась я.

— Не выйдет! Видишь, спектакль только через неделю!

— А приехать из Пярну нельзя?

— Лучше не надо. Это неудачная постановка...

Утром Никита куда-то позвонил и договорился о встрече.

— Танюха, погуляешь одна? Я бы взял тебя с собой, но ты с тоски помрешь. Вот тебе деньги, гуляй, захочешь что-то купить, не стесняйся. Но к трем будь в номере. Пойдем обедать в «Глорию»! Все, малышка, я побежал!

Странно, тогда, зимой, я была тут как в тумане, но почему-то прекрасно помнила, где находится Ратушная площадь. А потом по узенькой и совсем короткой улочке решила дойти до художественного салона, где Никита купил мне зеленый свитер. Я тоже хотела сделать ему какой-нибудь подарок. И вдруг я застыла. В витрине цветочного магазина стояли такие красивые корзиночки с цветами! Дверь открылась, кто-то вошел, и на меня пахнуло чем-то до того приятным, волнующим, что я как зачарованная пошла на этот запах. Магазинчик был маленький, и цветы в нем вроде бы обычные, но в Москве я таких не видела. Здесь они были крупнее, свежее, ярче... Я знала, что вот эти цветочки с темно-фиолетовыми лепестками называются цинерарии, я видела их в Москве, но разве можно сравнить? Там они какие-то заморенные были, а тут! А вот еще другие цинерарии, розовые! До чего хороши! И цикламены! Белые, розовые, коралловые! Крупные, сильные. О, тут еще и срезанные цикламены продают, такого в Москве не бывает! А главное — запах! Не аромат цветов, а запах чистой влажной земли, мха, не знаю, чего еще... Я не могла им надышаться! Немолодая красивая дама с аккуратно уложенными седыми волосами составляла букет из белых гвоздик — гвоздики тоже были на удивление свежими и крупными — и посматривала на меня с некоторой неприязнью, как мне показалось. Мол, за каким чертом эта девица тут торчит и ничего не покупает? Я подошла к ней и попросила продать мне розовую цинерарию в корзинке. Пышная круглая шапка ярко-розовых цветков в светлой плетеной корзинке выглядела просто божественно! Дама, ни слова не говоря, завернула корзинку в красивую бумажку, такой я в Москве тоже не видела. Стоило это недешево, но Никита ведь сказал: «Купи что захочешь!» Вот я и купила! Прижимая заветный цветок к груди, я гордо вышла из магазина и подумала: что ж я так и буду гулять с цветком? И решила отнести его в гостиницу. Наш номер просто преобразился, а я никак не могла уйти, все любовалась своей покупкой. Наконец я все-таки вышла на улицу. Увидела гостиницу «Виру» и пошла в ту сторону. Я помнила, что у ворот «Виру», которые нравились мне до безумия, тоже есть художественный салон, где можно купить подарок для Никиты. Но там меня ждало еще одно потрясение! На короткой улице, ведущей к воротам, с левой стороны торговали цветами! Тюльпаны, нарциссы, розы, гиацинты! Цветы лежали и стояли в стеклянных ящиках и тоже были удивительно крупными, свежими, отборными. Тюльпаны фантастических расцветок, нарциссы самых разных фасонов. Я просто не могла глаз оторвать от этой красоты! Странно, раньше со мной такого не было. Мне хотелось купить все! Я прицениласъ. Цветы стоили довольно дорого. Но я решила, что на обратном пути обязательно куплю себе три тюльпана, вот этих темно-сиреневых с бахромчатыми лепестками.

В художественном салоне на улице Виру я не нашла ничего достойного Никиты, кроме одного пуловера, но он явно был ему мал. Да потом у него этих пуловеров до фига и больше. Он их любит, пиджаки надевает очень редко. Но вдруг я увидела то, что надо! Кожаный футляр для карт! Он часто во время работы встает из-за машинки, берет колоду карт и раскладывает пасьянс. Говорит, это помогает думать. Футляр из темно-зеленой тисненой кожи стоил дорого, но я его купила и была страшно довольна. Идти в гостиницу было еще рано, и я отправилась просто бродить по улицам. Вскоре мне опять попался цветочный магазин, я опять вошла и с упоением вдохнула волнующий запах. Вот бы работать в таком магазине, вдыхать этот запах... И тут я вдруг вспомнила предсказание Аллы Захаровны: «Цветы станут твоей профессией!» А что, может, и вправду? Хотя вряд ли Никита согласится, чтобы я торговала цветами. И кстати, вспомнив московские цветочные магазины, я решила, что там мне работать совсем не хочется.

Три сиреневых тюльпана я все-таки купила на обратном пути, а заодно и беленькую керамическую вазочку, она стоила дешевле, чем один тюльпан. Но цветы в ней выглядели еще прекраснее! Ничего, пригодится вазочка! Я в Пярну тоже буду покупать цветы!

Никита очень удивился.

— Что это? Цветы? Откуда?

— Купила, просто не могла удержаться!

— Танюха, ты с ума сошла!

— Почему?

— Мы же завтра уезжаем!

— Ну и что? Возьмем с собой.

— Что это вдруг? Ты раньше, по-моему, не увлекалась цветами.

— Ты мне никогда не дарил цветов...

— В самом деле. Я, знаешь ли, не очень люблю ходить по улицам с цветами.

— Но ты же ездишь на машине...

— Упрек принимаю и на будущее учту! Что еще ты купила?

— Тебе подарок! Вот, посмотри!

— Слушай, какая прелесть! У тебя отличный вкус... Кто бы мог подумать. Спасибо, Танечка, я тронут! А что ты себе-то купила?

— Цветы!

Он посмотрел на меня с любопытством. А что ж я, обязательно должна себе тряпок накупить?

— Вот мы и в Пярну, — объявил Никита.

— А люди тут есть? Как-то пусто...

— В том-то и прелесть! Сейчас еще не сезон!

Дом, к которому мы подъехали, стоял в небольшом ухоженном садике и был очень красив. Белый, с зелеными ставнями.

Никита открыл ворота, мы въехали на участок. Из дома вышла старая женщина с голубоватыми волосами.

— Никита Алексеевич! Здравствуйте, — с сильным акцентом сказала она и смерила меня таким взглядом, что я невольно поежилась.

— Трауте Карловна, приветствую вас! — Никита подбежал к ней, поцеловал руку, она поцеловала его в лоб. Черт, прямо сцена из какого-то фильма. Такая старушка в конце концов должна оказаться резидентом всех разведок! Мне она ужасно не понравилась.

— А это и есть ваша жена?

— Да, Трауте Карловна, позвольте вам представить мою Таню!

Она протянула мне наманикюренную руку. Рука была сухая, но холодная.

— С приездом! Заходите, прошу вас! Ваши комнаты наверху, как вы просили, Никита!

— Да, благодарю вас! — Никита подхватил наши чемоданы и побежал наверх, а я держала в руках мою цинерарию.

— Что это?

— Цветок.

Сама, что ли, не видит?

— Он имеет запах?

— Нет, совсем не пахнет.

— Хорошо. У меня аллергия на запахи.

Я побежала наверх. Там было чисто, как в операционной.

— Танюха, как тебе наше новое жилищс? — радостно спросил Никита. — Вот тут я буду работать, а тут твое царство. Да поставь ты свой цветок, дай я тебя поцелую.

В «моем царстве» стояла широкая кровать с белым лакированным изголовьем, такой же шкаф и две тумбочки. А еще кресло и журнальный столик. Полы были удивительные. Не паркетные, а крашенные ярко-голубой краской и казались теплыми. В комнате был еще и балкон.

— Нравится?

— Красиво.

— Ну ты устраивайся, вот тут душ, тут сортир, а я побегу вниз, надо полюбезничать с хозяйкой, она нас напоит кофе, это уж такой ритуал! Ты спускайся минут через пятнадцать.

Я быстренько разобрала вещи, развесила все в шкафу. Цветок поставила на подоконник, но там его не было видно за густым белым тюлем. И я переставила его на журнальный столик.

— Танюша, — донесся снизу Никитин голос, — иди сюда!

Внизу полы были такие же, только других цветов. В холле медово-желтые, в гостиной темно-бордовые. И нигде ни пылинки, даже страшно! В гостиной на столе стояли старинные чашки из тонкого фарфора, такой же кофейник, молочник, сахарница и блюдо с явно домашним печеньем, которое очень вкусно пахло. Я не хочу тут жить, мелькнуло у меня в голове. Я даже сама себе не могла бы объяснить почему. И хозяйка вроде бы вела себя приветливо, неприязнь первой минуты прошла, но я чувствовала себя не в своей тарелке. Она не задала мне ни одного вопроса, обращалась только к Никите, а мне наливала кофе, предлагала печенье, оказавшееся потрясающе вкусным и таким рассыпчатым, что я немедленно поперхнулась и раскашлялась. Никита хлопал меня по спине, смеялся, заставлял поднимать руки. Наконец приступ прошел. Я сидела вся красная, со слезами на глазах. И хотя старуха ничего не сказала, я чувствовала, что она меня презирает. Небось думает, что я от жадности поперхнулась.

После кофе Никита повел меня гулять.

— Идем-ка к морю! Купаться еще и думать нельзя, но посидеть у моря всегда приятно.

День был пасмурный, море спокойное и серое. Но от него так пахло и глаз оторвать было нельзя, хотя вроде как ничего интересного, ни волн, как в кино, ни барашков, ни синевы... И дышалось тут как-то особенно.

— Нравится? — ласково спросил Никита.

— О да! Вот если бы еще не ходить в тот дом...

— Что-что? — не понял Никита. — В какой дом?

— Никита, как там можно жить, там все стерильно, как в операционной... Даже страшно!

— Ерунда, прекрасно можно жить, я уже семь лет тут живу подолгу. Ну, конечно, разводить бардак не стоит, но...

— Разве я развожу бардак? У меня всегда чисто!

— Тогда никаких проблем не будет! Завтракаем дома, обедать будем в городе или в колхозе...

— В каком колхозе?

— Тут недалеко есть колхоз, а в колхозе потрясающая столовая, вкусно и дешево. Это тебе не наши колхозы. Знаешь, какие там десерты, в этой столовой? Пальчики оближешь! Ты когда-нибудь ела снежки?

— Снежки? Это из яиц?

— Да.

— Сколько раз ела. Тетя Нуца делала снежки.

— Но это же не грузинское блюдо!

— Ну и что? Она не только грузинскую кухню знала...

— Танюха, ты что, тебе моя Траутe не понравилась? Ты не права, прелестная старуха, осколок былых времен.

— Именно что осколок, порезаться можно!

— Не выдумывай! Просто у эстонцев другой менталитет, как теперь говорят. Да, они не кидаются тебе в объятья, но зато... Впрочем, не в этом дело. Просто она тебя еще не знает, боится, вероятно, что ты внесешь в ее дом и в ее жизнь какой-то беспорядок. А когда увидит, что ты нормальный воспитанный человек, все будет прекрасно. Ты же умеешь себя вести, так в чем проблема? И вообще, не волнуйся, все прекрасно в нашей жизни, если мы вместе, разве нет?

— Да, наверное...

Но у меня все равно настроение испортилось.

Никита с утра садился за работу, а я слонялась по городу, больше мне делать было нечего. Правда, моя преподавательница английского дала мне целую кучу заданий, но больше часа в день я не могла заниматься. В голове начиналась путаница. И я подолгу сидела у моря. Мне было грустно. Что это за жизнь? Кто я? Придаток к мужу? Да он даже и не муж мне, хотя и называет женой. Я не привыкла так жить — ничего не делая. Дома-то занятия всегда находятся, а тут... Белье мы отдаем в прачечную, питаемся не дома. Никита целыми днями сидит за машинкой, а по вечерам часто торчит у Траутe, и они о чем-то беседуют, хотя, на мой взгляд, она исключительно противная и злая. Но вчера я познакомилась с девочкой, которая гуляла в парке с собачкой. Мы разговорились. Девочка была смешная, лет десяти, ее звали Мирра. У нее не хватало двух зубов, и она довольно сильно картавила.

— У меня неудобное имя — целых два «р»! Но я занимаюсь с логопедом, говорят, это пройдет! — сообщила она мне сразу.

А познакомились мы с Миррой благодаря ее песику. Я сидела в парке, и вдруг ко мне подбежала смешная собачка, маленькая, серенькая, гладкошерстная, и села передо мной на задние лапки. Она была такая милая и забавная. Я вытащила из кармана пачечку вафель и дала ей одну. Она обнюхала вафлю, взяла в зубы и опять села на задние лапки! Вот тут-то ко мне и подошла Мирра.

— Моня, можешь съесть! — сказала девочка и уселась рядом со мной. — Вам нравится мой пес?

— Ну еще бы! Он что, без твоего разрешения не стал бы есть?

— Ни за что!

— Да ладно, он же взял вафлю в зубы!

— У него сила воли! А взял из вежливости! Вы знаете, как его зовут?

— Моня, я слышала!

— Моня — сокращенно от Соломона! Он умный, как царь Соломон! Так бабушка говорит! Он дедушку спас!

— Как это? — заинтересовалась я.

— Дедушке ночью стало плохо, он упал и не мог встать, и крикнуть не мог, а Моня бабушку разбудил, она «скорую» вызвала, дедушку в больницу увезли и вылечили!

— Действительно, какой умница! Сколько ему лет?

— Четыре!

— Еще молодой!

— Бабушка говорит, что он мужчина в самом соку! А вас как зовут?

— Таня. И не надо говорить мне «вы»!

— Хорошо. А вы не здешняя, да?

— Я из Москвы.

— Я была в Москве! Там мои папа с мамой живут.

— А ты почему тут живешь?

— Потому что я единственное бабушкино счастье, — засмеялась Мирра. — И еще, потому что здесь воздух хороший, не то что в Москве!

— Это правда!

— А вы почему так рано приехали? Сейчас еще холодно...

— Я тут с мужем, он приехал работать, а я вот слоняюсь тут...

— Понятно!

— А тебе нравится тут жить? Не скучно?

— Нет, не скучно, я много читаю, и вообще... Мы, наверное, скоро отсюда уедем, нас скоро выпустят...

— Выпустят? Куда?

— В Израиль! Сейчас начали выпускать... У нас многие родные уже уехали. Но мы, наверное, поедем в Америку, там у папы двоюродный брат живет, он ему работу обещает! Теперь про это уже можно говорить... хотя дедушка все равно бы рассердился, если бы узнал... Он всего боится. А бабушка наоборот! Она всегда говорит: «Бог не выдаст, свинья не съест». Ой, а вы не антисемитка?

— Нет, — засмеялась я.

— Ваш муж еврей?

— Нет. Мы же договорились, что будем на «ты»!

— Ах да, извини! А у тебя хороший муж?

— Мне нравится. Слушай, а Моню вы тоже с собой заберете?

— А как же! Моня — член семьи!

— Скажи, у вас тут мороженое продают?

— Вы хотите угостить меня мороженым?

— Именно!

— Это очень мило с вашей стороны. Ой, знаете, у меня пока на «ты» не получается, вы не сердитесь, может быть, потом. Вы будете со мной дружить?

— Буду!

— Потому что больше не с кем?

— Нет, потому что ты мне нравишься. И Моня тоже! Пошли, где тут можно поесть мороженого?

Но не успели мы с Миррой пройти и несколько шагов, как к ней подбежала запыхавшаяся маленькая женщина:

— Миррочка, срочно домой! Скорее, папа сейчас будет звонить!

— Бабушка, разрешили, да?

— Мирра, немедленно домой!

— Сейчас, бабушка, надо же попрощаться с человеком. До свидания, Таня!

— Счастливо!

Женщина увела Мирру, что-то выговаривая ей по дороге, видимо, за излишнюю болтливость. А я побрела домой. Там Никита ждал меня в страшном нетерпении.

— Танюха, где ты болтаешься? У меня новость! Мне придется дня на три уехать!

— Как уехать? Куда?

— В Москву! Ты понимаешь, мне позвонил мой друг из Каунаса, он получил разрешение в Израиль! И уезжает на днях! Я должен с ним проститься!

— Но почему в Москву?

— Он улетает из Москвы, он уже там и еле меня нашел...

— Я с тобой!

— Танюха, я только попрощаюсь с ним и вернусь, полечу самолетом, машину оставлю. И тебе совершенно незачем лететь. Ты не представляешь себе, какая морока этот отъезд, я должен буду ему помочь, у меня секунды на тебя не будет! И не упрямься, девочка! Ты здесь совсем другая, на этом воздухе. Просто расцвела, и я буду так рваться назад...

— Но что я буду тут одна делать?

— Дышать воздухом, набираться красоты и здоровья и, кстати, учить английский, я смотрю, ты совсем его забросила. А я привезу из Москвы свежие журналы, сейчас каждый месяц какой-то сюрприз.

И он уехал. А я осталась. Мне было до слез обидно. Утром я даже не стала завтракать дома, раненько ушла и поела в молочном баре. А дальше что делать? Заниматься английским? Не хочу, вот назло не буду... Хорошо бы что-нибудь эдакое предпринять... Поехать куда-нибудь... В тот же Таллин. Два часа на автобусе. Поеду, а к вечеру вернусь. Я спросила, как найти автобусную станцию, но выяснилось, что первый автобус я уже прозевала.

Ничего, завтра поеду. От принятого решения у меня стало веселее на душе. В конце концов, почему я не могу поехать? Денег мне Никита оставил достаточно! Но что делать сегодня? Я побрела в парк, туда, где встретилась с Миррой. Но она не появилась. Я покормила белок, в кармане у меня теперь всегда лежали орешки, потом покрошила булку голубям, а время все тянулось... Начал накрапывать дождик. Придется идти домой, это, похоже, надолго... У нас наверху телевизора нет, а сидеть со старухой — удовольствие ниже среднего. Ладно, завалюсь спать. Сказано — сделано! Но только я улеглась, как в дверь позвонили. А старухи дома нет, я видела, как она уходила под зонтиком. Может, плюнуть, не открывать? Ведь пришли-то к ней, а не ко мне. Звонок повторился. Нет, если я не открою, она потом будет ко мне в претензии, ну ее к черту. Я вскочила и побежала вниз.

В двери было стеклянное окошечко. Я увидела какую-то женщину, а дождь тем временем лил как из ведра. Я распахнула дверь. На пороге стояла... Сашка!

— Привет! Не ждали? — засмеялась она. — Впустишь?

— Ты откуда? — совершенно ошалев, спросила я.

— Из Москвы, откуда же еще! Вот решила проведать отца и мачеху! Как дела? Папаша что, творит очередную нетленку? Тань, ты чего так на меня вылупилась?

— А Никиты нет...

— Где же он?

— Вчера в Москву улетел!

— Ну ни фига себе! А ты почему осталась?

— Он поехал кого-то там провожать в Израиль...

— Фу ты черт! Ты меня на постой пустишь?

— Я-то пущу, но тут хозяйка... Она тебя знает?

— Откуда? Папашка сюда всегда один ездил. Я с матерью поругалась, вот и подумала, махну-ка к папаше с мачехой! Ничего, я докажу, что я родная дочь, никуда старуха не денется! Тань, да не смотри ты на меня, как на вражину! Мне, честно сказать, все равно, с кем папа живет, ты еще в сто раз лучше каких-нибудь киношных профурсеток, поэтому давай будем с тобой дружить, так всем лучше...

— А твоя мама?

— А что мама? У меня с мамой в последнее время несовместимость. Мы все время ругаемся, когда вместе. Ну ее... Слушай, а пожрать дашь?

— Дам, конечно, хотя я сама стараюсь тут не есть без Никиты... Ладно, пошли наверх, тебе переодеться надо!

— А домик неслабый! Значит, тут папашка работает, а тут вы предаетесь любовным утехам...

— Саш!

— Ладно, не буду тебя смущать. Хотя чего смущаться, все нормально! И как он, еще на что-то годится? Все, молчу, просто интересно...

— Как ты можешь, он же твой отец!

— Тань, успокойся, отец тоже человек и притом... А, ладно, не хочу тебя шокировать. У тебя что, совсем никакой еды нет?

— Почему, есть. Яйца есть, сыр, творог...

— Годится!

Я поставила в кухне на стол все, что было на нашей полочке в холодильнике, заварила чай. Но тут в дверях возникла Трауте Карловна.

— Вы уже принимаете гостей? — ледяным тоном осведомилась она.

— Это не гость, это дочь Никиты Алексеевича! Она приехала к отцу, но не застала!

— И вы думаете, я вам поверю?

— А разве вы не видите, как она на него похожа?

— Татьяна, не надо меня обманывать! Я не возражаю, если вы накормите вашу гостью, но ночевать в моем доме она не будет.

— Трауте Карловна, это действительно его дочь! Саша, покажи паспорт!

— Еще чего! Если мне прямо заявляют, что ночевать не пустят, я уйду, но папа вас не поблагодарит!

— Саш, прекрати, ну покажи паспорт!

— Не покажу! Не хочу!

— Что ж, все правильно, вы не можете показать ваш паспорт, потому что врете!

— Да не врет она! Это правда Никитина дочь! — Я чуть не плакала, мне хотелось ее обматерить.

— Покажите паспорт, тогда поверю!

— Да ни за что на свете! Я ухожу!

— Ваше дело, — пожала плечами старуха и вышла из кухни.

— Сашка, ну ты чего? Она ж и вправду может выгнать...

— Пусть попробует! Слушай, Танька, у меня идея! Тут гостиница есть?

— Есть конечно.

— Пошли. Это далеко?

— Да нет...

— Тогда бери зонт и почапали!

— Саш, покажи старухе паспорт!

— Паспорт? Да я лучше удавлюсь!

— Но в гостинице тоже придется паспорт показывать.

— Это другое дело! Тань, ты что, не понимаешь, она ведь не меня оскорбляет, а тебя!

— Почему?

— Потому что я действительно невесть откуда нарисовалась, а ты папина жена, или вроде того, и она считает, что ты врешь, что ты можешь привести в дом воровку или вообще бог знает кого...

— Черт, я не подумала... Знаешь, я ее боюсь...

— А папашка в курсе?

— Он смеется...

— Понятно! Слушай, у меня идея! Ты тоже возьми паспорт!

— Зачем?

— Снимем номер и поселимся там вдвоем, пока папашка не вернется! Он приедет, а любимой девушки нету!

— Он же волноваться будет, зачем? Жалко...

— Ну да, ясно, по-русски любить и жалеть — синонимы. Эх, знала бы ты, как я это ненавижу! Но черт с тобой, мы поглядим, как карта ляжет!

Как ни странно, номер в гостинице «Выйт» нашелся.

— Кайф! — воскликнула Сашка при виде скромненького двухместного номера. — То, что надо! А теперь сделаем так! Пойдем к старухе, я заберу сумку, ты возьмешь то, что тебе понадобится на два-три дня, и скажешь все как есть. Мол, ты оскорблена недоверием и до возвращения мужа будешь жить в гостинице с его дочерью! Представляешь, как у нее морда вытянется? А заодно и у папашки! А мы тут с тобой оторвемся! Погуляем, потреплемся всласть! Надо же узнать друг друга получше. В качестве мачехи ты меня вполне устраиваешь!

У Трауте Карловны действительно вытянулось лицо. Но вслух она сказала только:

— Это ваше дело!

— Непрошибаемая старуха, — заметила Сашка, когда мы уходили.

А я испытала огромное облегчение, выйдя из этого дома.

— Саш, а как у тебя с тем парнем, из ВГИКа?

— Да никак. Оказался пирожок ни с чем!

— А другой у тебя есть?

— Да навалом! Тань, а ты что, действительно папу любишь по-настоящему?

— Господи, конечно! А разве можно его не любить?

— Ну надо же! А как у вас это все сладилось? Неужели он прямо там, на дне рождения, успел к тебе подъехать и никто ничего не заметил?

— Нет, мы вместе в лифте застряли и с первого взгляда... А потом он нашел мой телефон у тебя в записной книжке и пригласил на «Покаяние»... И в ресторан... Но мы с ним в тот же вечер поссорились. И я думала, что все, но...

Я рассказала ей про визит Деда Мороза, про поездку в Таллин и про то, что он исчез...

— А ты знаешь почему?

— Более или менее.

— Он тебе объяснил?

— Нет, он ничего не сказал, он просто нашел меня...

— Откуда же ты знаешь?

— Совершенно случайно.

— Погоди, мы, может, о разном говорим... Ты что имеешь в виду?

— Ларину.

— Ну да... И ты ему это простила?

— Да, конечно, он же выбрал меня...

— И тебе этого достаточно? Ты никогда с ним об этом не говорила?

— Нет. Зачем?

— Танька, ты, что ли, мудрая женщина? — улыбнулась Саша. — А я так не могу! Я начинаю выяснять отношения, доказывать парню, что он не прав, требовать чего-то... Понимаю, что глупо, а ничего с собой поделать не могу. Я, Тань, хочу уехать...

— Уже?

— Да нет, не отсюда, а из Союза... Сейчас есть такая возможность, мне один парень предлагает оформить фиктивный брак, чтобы я могла слинять отсюда... причем задаром!

— Что задаром?

— Брак! Знаешь, фиктивный брак штука недешевая, а с иностранцем особенно! Правда, есть такие подвижники, которые считают своим долгом вывезти из Союза свободолюбивую душу. Вот с папашей хотела посоветоваться...

— Саш, а как же учеба?

— Что учеба? Учиться и там можно...

— А в какую страну?

— Пока в Голландию, а там будет видно... Он говорит, что надо ехать скорее, пока не подняли совсем железный занавес... Пока еще можно там зацепиться, а потом отсюда может такой поток хлынуть, если, конечно, Горбачева не скинут, что только держись. А если скинут, тем более надо успеть слинять...

— Но если брак фиктивный, что ты там-то делать будешь?

— Соображу, да потом на первых порах помогут, пособие там, то-сё... Меня тут как-то ничто не держит...

— Странно, стоит мне с кем-то подружиться, как человек сразу уезжает... Вот сколько лет была знакома с Райкой, но по-настоящему мы только этой зимой сдружились, а она вышла замуж и уехала... На днях тут в парке с девчонкой разговорилась, такая смешная девчонка, так сразу выяснилось, что им разрешили ехать в Израиль... Теперь вот ты...

— Ну, Тань, это ж пока только проект. А вообще сейчас и вправду все стронулось. По приглашению стало куда проще выехать, евреи пачками уезжают, в университете многие вострят лыжи... И студенты, и профессура, кстати, тоже... Но жить стало интересно! Ну а ты? У тебя-то какие планы? Не будешь же ты просто домохозяйкой! Тань, это не жизнь! Ты молодая, красивая, ты ж зачахнешь! Я папу знаю, он сидит за машинкой, долго сидит, а потом пускается в загул!

— Пьет? — ужаснулась я.

— Ну и пьет, конечно, но это не страшно, он не алкаш, но ему нужны свежие впечатления, а если ты будешь всегда при нем, то эти впечатления он начнет искать в другом месте. Нет, его так не удержишь. Ты должна что-то из себя представлять, кроме постельной грелки. Поверь, я тебе добра желаю!

— Ты думаешь, я сама не понимаю? Я сразу ему сказала, что не брошу Измайлово, но Райка уехала...

— Измайлово? — удивилась Саша.

Я ей все рассказала. Мне было с ней легко и просто.

— Ты знаешь, я в Таллине зашла в цветочный магазин...

Она слушала меня очень серьезно.

— А что, в этом есть кайф... Тебе пойдет быть цветочницей, теперь, кажется, это называется «флорист». Между прочим, в Москве есть курсы флористики. Вот бы тебе пойти... У нас, правда, с цветами хреново, но, может, все переменится... Тебе надо в Голландию поехать, самая цветочная страна. Вот выйду замуж за голландца, устроюсь и пришлю тебе приглашение! Здорово будет! А папашка...

— А еще мне предлагала пойти к ней в помощницы Тина Примак, — вспомнила я. — Это тоже интересно...

— Примак? Ты что, спятила? Она же лесбиянка!

— Как?

— Очень просто, известная в Москве лесбиянка! Так что даже не думай!

— Ой, мамочки! Но зачем же Никита меня к ней повез? Не знал, наверное...

— Знал, конечно! Ну, она на клиенток все же не кидается, а вот если приглашала тебя работать, значит, ты ей понравилась...

— Саш, не надо! Меня тошнит.

— А что такого, в конце концов? Личное дело каждого! Вот достанут мужики до печенок, можно в лесбиянки податься! В лесбиянки пойду, пусть меня научат, как писал поэт революции!

За два с половиной дня в гостинице «Выйт» мы крепко сдружились. Целыми днями гуляли под мелким дождиком — и ни секунды скуки! Понимали друг друга с полуслова. На третий день мы ужинали в ресторане гостиницы, как вдруг появился Никита. Он подошел к нашему столику, сел.

— Ну и что все это значит? — Лицо у него было при этом непроницаемое.

Я замерла.

— Папочка, привет! — Сашка вскочила, бросилась к нему на шею. — А мы с Таней подружились!

— Да я уж вижу! А ты что же, Таня, меня поцеловать не хочешь? Обиделась?

— Никита! — смутилась я. Целовать его при Сашке мне все-таки было неловко.

Он засмеялся. Поцеловал меня сам.

— И все-таки, девушки, что это за демарш?

— Папа, да она...

— Глупости все, не желаю ничего слушать. Надо же иметь снисхождение к старому человеку! Сашка, это ты все воду мутишь? И вообще, зачем ты явилась? Насколько я помню, дело идет к сессии, а ты катаешься!

— Ой, пап, оставь свой менторский тон! Ты мне совсем не рад? Ты не волнуйся, я скоро уеду, не буду мешать вашему медовому месяцу, только, я смотрю, для

Танюшки мед какой-то суррогатный получается, она тут помирает от тоски!

— Это она тебя уполномочила мне сказать? — нехорошо прищурился Никита.

— Ничего подобного, я говорю то, что думаю! И вообще, она при этой старухе даже кофе пить стеснялась... целыми днями где-то таскается, чтобы дома не сидеть. Ей же тут заняться нечем, а ты сидишь за машинкой и знать ничего не хочешь. Эта старуха в тебя небось влюблена...

— Боже, что ты несешь! Таня, а ты почему молчишь?

— Потому что Саша уже все сказала... Это правда... Знаешь, может, мне лучше с Сашей в Москву поехать, поискать какую-нибудь работу...

— Ты что же, отказываешься возвращаться в дом Трауте?

— Нет, с тобой я там еще могу... — испугалась я. Я так была счастлива его видеть, сидеть с ним рядом, что все остальное показалось сущей чепухой.

— Да, девки, с вами не соскучишься! Но сказать по правде, я страшно рад, что вы подружились. Это такая приятная неожиданность! По-моему, за это надо выпить, как вы считаете?

— Я слышу речь не мальчика, но мужа! — засмеялась Сашка.

Мы еще долго сидели в ресторане, и было так хорошо, так весело, но Сашка идти в дом Трауте отказалась наотрез.

— Зачем? Переночую в гостинице, а завтра, самое позднее послезавтра уеду в Москву!

— Вечно ты что-то выдумываешь! Но дело твое! Ты уже взрослая. Только имей в виду, что Таню-то я заберу!

— Да уж понятно! Ничего, утром ты работать сядешь, а Танюшка ко мне прибежит!

Возвращались мы домой поздно.

— Ты скучала по мне?

— Еще как! А ты?

— Ужасно! Даже вообразить не мог, до какой степени привязался к тебе, как ты постоянно мне нужна.

— Твой друг уехал?

— Уехал! Семь лет был в отказе, но наконец свершилось! Их, конечно, потерзали на таможне, но, говорят, все уже немножко мягче... Между прочим, я не терял времени даром. Нашел дачу на лето. А может, и зимой там жить будем. Две комнаты, веранда, удобства в доме, чудный участок, тебе понравится. Есть еще новости, но пока из суеверия говорить не хочу.

— Никита, тебе не стыдно?

— Танюха, наберись терпения!

— Тогда зачем вообще говорил, молчал бы лучше. Теперь я буду мучиться. Новость хоть хорошая?

— Если получится, то да.

— А когда ты узнаешь?

— Как узнаю, сразу скажу!

Трауте Карловна при виде меня как-то противно ухмыльнулась:

— С возвращением!

Я пробормотала «Добрый вечер!» и поспешила наверх. Но когда мы легли и Никита накинулся на меня с поцелуями, я вся сжалась.

— Что с тобой? В чем дело? — встревожился он.

— Я не могу...

— Почему?

— Мне кажется, она... слушает... Не могу, мне неприятно!

— Танюха, что за ерунда! Ну перестань, я так соскучился, так рвался к тебе, а ты выдумываешь какие-то глупости! При чем тут старуха? Она небось уже пятый сон видит. И вообще, она внизу, а мы тут. Ну хватит капризничать.

— Никита, я не могу! Мне кажется, она тут, за дверью...

— Что за чушь!

Он вскочил, натянул трусы и вышел.

— Трауте Карловна, что вы здесь делаете? — донеслось до меня.

— Извините, Никита, мне надо было взять вещи из шкафа. Я вас разбудила? Прошу меня извинить!

Он вернулся весь красный от злости.

— С ума сойти! Ты была права! Черт побери, в самом деле... Кто бы мог подумать! Фу, какая мерзость... завтра же уедем!

— Ой, правда? Какое счастье!

И мы действитально уехали! Забрали Сашку и очень весело доехали до Москвы практически без остановок, так как Сашка умела водить машину и меняла Никиту. Он хоть и ворчал, но все-таки пускал ее за руль. Когда мы въехали в Москву, он спросил:

— Сашка, куда тебя отвезти?

— К вам! Хочу посмотреть, как вы устроились!

— На полчаса, не больше! Мне работать надо! Я же все бросил...

— Мне и четверти часа хватит, не волнуйся, папа! Я вообще-то хотела с тобой поговорить, ну да ладно...

— Так почему до сих пор не говорила?

— Папа, ты дашь согласие, если я выйду замуж за иностранца?

— Что за дикая формулировка? Разве тебе нужно мое согласие хоть на что-нибудь?

— Вообще-то нет, но в данном случае нужна официальная бумага, что ты не возражаешь, если я уеду на ПМЖ.

— Это что же, настоящий брак или фиктивный?

— А тебе не все равно?

— Разумеется, нет!

— Настоящий, настоящий, не беспокойся! Он голландец, хороший парень. Я вас познакомлю, он тебе понравится, он даже чем-то на тебя похож, тоже высокий широкоплечий блондин...

— Нашла себе блондина! — подала голос я.

Никита рассмеялся.

— Девушки часто выбирают себе мужей, похожих на отцов, это значит, я хороший отец!

— Ты — хороший отец? Ну-ну! Впрочем, бывают куда хуже папаши! Ну так что, дашь бумагу?

— Ты его любишь?

— Ой, папа, не смеши! Я сейчас буду тут тебе о любви рассказывать!

— А что такого? Я вот не стесняюсь говорить, что люблю свою Танюху!

— Ты писатель! Что тебе стоит соврать вслух, как ты врешь на бумаге, хоть о любви, хоть об истории...

— О! Проблема отцов и детей! Новое поколение не дает спуску старикам. Ладно, дам я тебе бумагу, не сомневайся! На свадьбу позовешь?

— Там видно будет!

Войдя в квартиру, Сашка присвистнула:

— Да, Тань, кажется, он не врет, что любит тебя! Чтобы наш барин жил в такой халупке, это сильно!

— Сашка, ты бываешь такой бестактной!

— Папа, просто я человек прямой! Таня это знает и не обижается!

На прощание она шепнула мне:

— Тань, не говори ему про фиктивный брак, он расстроится, начнет меня отговаривать, зачем мне эта канитель? Обещаешь?

Я пообещала.

Глава 9
КИНОШНИКИ

Мы уже третий месяц жили на даче. Два раза в неделю я ездила в Москву заниматься английским и заодно еще покупала продукты, если что-то попадалось. Иной раз тащила такие сумки, что, казалось, пупок развяжется. Никита нещадно меня ругал.

— Зачем ты таскаешь тяжести? Поедем на машине, все купим.

— А ты помнишь, в прошлый раз мы какую-то несчастную курицу еле добыли! А в заказах твоих вообще один только чай со слоном и печень трески. У меня от нее живот болит, ты ее не любишь... Поэтому, если уж что-то попалось...

Никита, когда ездил в Москву, тоже старался привезти продукты, хотя плохо разбирался в этих делах. Однажды он приехал с пустыми руками, но такой сияющий, что сразу было видно — случилось что-то хорошее.

— Танюха, живо одевайся, на сборы полчаса!

— Что такое?

— Одевайся, одевайся, говорю же тебе! Поедем на просмотр!

— На какой просмотр?

— «Запах осени» сняли с полки! Ну что ты стоишь, надевай что-нибудь нарядное, и поехали!

Я знала, что «Запах осени» — фильм по его сценарию, который давно положили на полку. И еще я знала, что там снималась Елена Ларина. Он однажды вскользь упомянул этот фильм, но я ни о чем его тогда не спросила. Все равно ведь выбрал меня, так зачем бередить старые раны? Но мне, конечно, было интересно посмотреть фильм, ну и на Ларину взглянуть хотелось, я плохо ее помнила... Быстренько причесавшись, я задумалась, что надеть. И решила, что надену бирюзовый костюм. Пусть все видят, какая у Никиты жена!

— О! — воскликнул он при виде меня. — Ты неотразима, Танюха. Только не вздумай снять жакет! Я ревную!

Народу было много, и, как всегда, я чувствовала себя не очень уютно в этом обществе, я вообще была еще довольно дикая, больше всего любила бывать вдвоем с Никитой, я знала, что ему во мне почти все нравится, а попадая в толпу киношников, я зажималась, мне мерещилось, что они все посмотрят на меня и потом скажут Никите: «Ты что, с ума сошел? Зачем тебе эта неотесанная дура?» Только с Ильей Наумовичем, оператором, я чувствовала себя в своей тарелке, он всегда шутил со мной и говорил комплименты, которые казались мне искренними. Он, к счастью, тоже пришел на просмотр.

— Татьяна, голубушка, разве можно так хорошеть? Не зря Никита держит тебя взаперти на даче! Свежий воздух и любовь, что еще нужно юной даме!

— Илюша, оставлю на тебя Таню, позаботься о ней, а то она у меня пугливая как лань! А я пошел!

— Куда ты? — крикнула я ему вслед.

— Не волнуйся, он будет выступать перед фильмом, режиссера уже нет, а Никита хочет сказать о нем несколько слов. Пошли, сядем пока! — Он взял меня под руку и повел в зал.

— А вы видели этот фильм? — спросила я.

— Нет, не случилось, если бы видел, не пришел бы, не люблю два раза смотреть кино, если это не Висконти. Ты видела «Семейный портрет в интерьере»?

— Да!

— Понравилось?

— Очень! Просто очень!

— Молодец, понимаешь! Меня мало кто понимает,

все талдычат про Феллини, а Феллини это не мое... Что ж поделаешь, такой уж я урод!

Но вот на сцену вышел Никита и какой-то маленький, кругленький человек.

— Друзья мои, — начал Никита, когда гул в зале немного стих. — Странные вещи случаются в жизни! Режиссер этой картины так и не дожил до ее второго рождения и всегда был уверен, что не доживет, но если он сейчас может видеть нас или хотя бы слышать, пусть порадуется... Ведь сегодня день рождения Коли, Николая Ветченко, сегодня ему исполнилось бы сорок пять лет!

В зале зааплодировали.

— Но кто знает, пощадило ли время этот фильм, наш фильм, я еще не видел его, а вот Владимир Михайлович Крутов, наш оператор, видел и говорит, что ему и сегодня не стыдно за эту работу! Но дело даже не в этом! Времена изменились, фильм сняли с полки, и более того, я буквально две минуты назад узнал, что героиня картины, наша всеми любимая Леночка Ларина, сегодня тоже здесь! Ну и, разумеется, наш герой, Толя Лужин...

И под аплодисменты Лужин вывел на сцену Елену Ларину. У меня все поплыло перед глазами. Но я заметила, что Илья Наумович покосился в мою сторону. Нет, я ничего не хочу знать о прошлом, мне до этого нет дела! У Никиты было много женщин, что ж мне, из-за каждой умирать? Наверняка в этом зале есть еще бабы, побывавшие в его постели, но теперь моя очередь! И я никого не пропущу! Я во все глаза смотрела на Ларину. Она была еще очень красива, хотя ярко-красный костюм, как мне показалось, ее старит. Но все-таки не могу не признать, что выглядела она эффектно и элегантно.

Никита поцеловал ей руку, что-то сказал, она улыбнулась и встала совсем близко к нему.

— Леночка, скажи и ты несколько слов!

Она подошла к микрофону и взволнованным глубоким голосом произнесла:

— Сегодня для меня праздник, но праздник очень грустный, как говорится, со слезами на глазах... Уже нет многих из тех, кто делал эту картину... Нет Коли, нет Маши Шведовой, нет Евгения Трушина... Пусть земля им всем будет пухом! Но я счастлива, что смогла дожить до этого дня! Съемки в этом фильме были самыми счастливыми в моей актерской жизни. Такого взаимопонимания никогда не было... И, возможно, уже не будет. И такой роли, какую написал для меня Никита Алексеевич... Прошу вас, не судите нас слишком строго, мы не по своей вине упустили время.

На глаза у нее навернулись слезы.

Потом еще несколько слов сказал Лужин, и все они ушли. В зале погас свет. Начался фильм. Я никак не могла сосредоточиться, понять, что же там происходит, но вот ко мне протиснулся Никита, сел рядом. И мало-помалу я успокоилась. Он выбрал меня!

Ларина играла молодую женщину, которая никак не может найти свое место в жизни. И была удивительно красива! Большие грустные глаза смотрели на мир с такой надеждой! Я понимала, в такую женщину, наверное, трудно не влюбиться... И играла она хорошо, ничего не скажешь. Но в какой-то момент я глянула на Никиту и лучше б я этого не делала! Он сидел, впившись взглядом в экран, и был очень напряжен. Я перестала следить за перипетиями сюжета, я смотрела на него. А он ничего не замечал. Когда героиня исчезла с экрана, он расслабился... Значит, его волновал не сам фильм, а именно она, эта женщина. Когда она снова появилась, он опять напрягся. Ох, как мне это не нравилось! Обычно во время просмотра он всегда брал мою руку, иногда целовал, а сегодня — ни разу! Но он же выбрал меня! А может, не выбрал, может, она просто уехала тогда, а он с горя подался ко мне? А теперь она здесь... И он так волнуется... Да, наверное, я зря утешалась тем, что он меня выбрал... Это она выбрала кого-то другого, не его. Это она поняла, что он ей не нужен, а не наоборот... Надо будет все-таки расспросить Сашку, пока она не уехала в свою Голландию...

Но все когда-нибудь кончается. Кончился фильм. Аплодисменты, надо сказать, были довольно жидкие.

— Да, время безжалостно... — произнес Никита. — Кино-то прокисло...

— Есть немножко, — согласился Илья Наумович. — Вот что, друзья, насколько я понимаю, банкета не предвидится?

— Да нет, все так спонтанно вышло, я только сегодня утром узнал, что будет просмотр... А что ты хотел предложить?

— Поехали ко мне! Посидим, выпьем... Тебе же надо расслабиться, дружище Ник! Моя Натка вареники с вишнями налепила.

— Вареники с вишнями? Заманчиво, а, Танюха?

— Поехали, Таня! Натка давно хочет с тобой познакомиться, заодно поглядишь на мое чудо-юдо!

А что, совсем даже неплохо уехать сейчас к Илье Наумовичу, сменить обстановку... Все-таки Никита выбрал меня!

— С удовольствием!

— И заночуете у нас, места много!

Илья Наумович жил в Валентиновке, на большой старой даче, оставшейся в наследство его жене от отца, адмирала. Участок был запущенный, и навстречу нам с лаем кинулась небольшая пушистая собачонка.

— Тузик, заткнись! Не бойся, Танечка, он только брешет, но не кусается. А чудо-юдо, наверное, спит! Ничего, утром познакомишься! А вот и моя Натка. Натка, смотри, я их все-таки привез!

Натка была женщина лет под сорок, полная и удивительно уютная, похожая на простую деревенскую бабу, но я знала, что она пишет хорошие детские книжки.

— Здравствуйте, Таня! Много о вас слышала и теперь рада видеть! Привет, Ник! Я уже поняла, почему ты потерял голову! А можно я буду говорить вам «ты»? Уж больно ты молоденькая. Сколько тебе лет?

— Двадцать!

— Да? Я думала, не больше восемнадцати! Ну пошли, вареники ждут! Ты ела когда-нибудь вареники с вишнями?

— Никогда. А вы ели шанежки с черемухой?

— С черемухой? Даже не слышала, что такое едят, как интересно! Ты меня научишь?

— Нет, я, к сожалению, не умею... Моя бабушка их пекла.

— Никита, а у девочки характер будь здоров! Молодец!

— Из чего ты такой вывод сделала? — засмеялся Никита.

— Да вот, я спросила про вареники, а она сразу же про шанежки! Мол, не задавайся, тетка, мы тоже не лыком шитые! Молодчина, так и надо, а то эти киношники такой народ... Сожрут и не поперхнутся. Я почему спросила, не все знают, как надо правильно есть вареники с вишнями. Я научу! Берем вареники, кладем в глубокую тарелку, сверху сметанку, посыпаем песочком и заливаем вишневым соком. Вот так, а теперь можно есть. Ой, подожди!

— Что? — испугалась я.

— Загадай желание, ты же первый раз пробуешь! Только не говори никому, что загадала.

Хочу, чтобы Никита никогда меня не разлюбил!

— Загадала? Теперь ешь!

Это было не просто вкусно, это было фантастически, неправдоподобно вкусно, куда вкуснее, чем шанежки с черемухой.

— Нравится? — ласково спросил Никита.

— Не то слово!

— А знаете, почему я так люблю свою Танюху? — прочувственно начал он. — Потому, что она умеет наслаждаться жизнью! Из любой ерунды может сделать праздник, и сама каждую мелочь воспринимает как праздник. В моей жизни с ней стало столько праздников! К примеру, в Таллине прихожу в номер, а там цветы в корзинке, цветы в вазочке, у нее глазки горят, вся дрожит от восторга, опомниться не может, как в цветочном магазине пахнет! На обратном пути, когда ехали через Таллин, потащила нас с Сашкой в тот магазин. Нюхайте, говорит! Я нюхаю, запах как запах, ничего особенного, а у этой опять глаза горят!

Он меня любит, любит!

— Тань, ты что, так цветы обожаешь? — спросила Наташа.

— Я даже раньше не знала, а вот как зашла в тот магазин...

— А хочешь, я тебя познакомлю с одной женщиной, она занимается аранжировкой цветов и сейчас как раз открывает курсы. Вроде бы с осени они начнут. Курсы, конечно, платные...

— А что такое аранжировка цветов?

— Ну что-то вроде искусства составления букетов.

— Икебана?

— В том числе и икебана, это одно из направлений...

— Я хочу, я очень хочу! Никита, ты не...

— Не возражаю! По-моему, прелестное занятие для красивой женщины.

— А мне варреников? — раздался вдруг довольно пронзительный вопль, и в комнату вбежало чудо-юдо — четырехлетний сын Натки и Ильи Наумовича Петя. Черноглазый, черноволосый, смуглый и до того хорошенький, что просто глаз не оторвать. — Ника прррие-хал! — И он тут же вскарабкался Никите на колени.

— Петруха, привет! Чего не спишь?

— Уже выспался! А ты чего не спишь, по гостям ходишь?

— Да вот, все шляюсь. Смотри, видишь тетю, это моя жена!

— У тебя рраньше была другая жена! Она, что ли, плохая была?

— Не то чтобы плохая, но эта лучше.

— А ту куда девал? Зарррезал?

— Господи помилуй! — захохотал Никита. — Натка, дай ему вареников! А то он еще что-нибудь выдумает, а потом будет рассказывать, что дядя Ника жену зарезал или утопил.

— Ты ее утопил? Как котят?

— Петя, сейчас же прекрати глупости болтать! — прикрикнул на него отец, но было видно, что он просто тает от восторга перед собственным чадом.

Наконец Петя был усажен на стул, ему дали вареников. Надо сказать, он ел удивительно красиво и даже изящно. Не гваздался, не мызгался. А когда капелька сметаны попала ему на подбородок, сам взял бумажную салфетку и утерся. Заметив мое удивление, Наташа прошептала:

— У него нянька была из интеллигенток, привила ему хорошие манеры. Зато следующая все время рассказывала ему всякие ужасы, кто-то кого-то утопил, зарезал, удавил. Вот вам результат. Таня, а вы о ребеночке не думаете?

— Нет пока...

— Да ты что? Не надо откладывать, Никита уж не мальчик... А дети такое счастье!

В этот момент у калитки раздались голоса.

— Кажется, еще гости... — вздохнула Наташа и вышла на крыльцо.

— Еще гостей черррт прррринес! — сказал Петя.

— Все, малыш, пора спать! — Илья Наумович взял сына на руки. — А то ты что-то разошелся. Попрощайся с гостями и в кровать!

— Ника, спок нок! И твоя жена спок нок! Она прррравда лучше, не лезет с глупостями!

Никита расхохотался.

— Терпеть не может, когда с ним сюсюкают, — пояснил Илья Наумович и понес сына наверх.

А на веранде появились новые гости, их было четверо. Трое мужчин и одна женщина... Елена Ларина!

— О, какая встреча! — закричала она. — Мой любимый сценарист! Никита, кто бы мог подумать! Я счастлива! У меня сегодня такой хороший день! Тени прошлого оживают, обретают плоть... Вышла наша картина, я приехала к Диме в гости, решили навестить Илью, и ты здесь сидишь, такой красивый, ешь вареники! — Она явно была под мухой.

— Леночка, сядь, успокойся, — сказал один из ее спутников. Его лицо мне было смутно знакомо. — Поешь лучше...

— Да что вы... как можно... Здесь столько калорий! Тесто, сахар, сметана! Варварство! Я лучше выпью!

— В выпивке, между прочим, тоже много калорий! — не выдержала я.

— Кто это дитя? Ник, это твоя дочка? Хорошенькая!

— Нет, Лена, это моя жена! — отчеканил Никита, и я полюбила его еще больше, если такое вообще возможно.

— Жена? Ты сказал – жена? Значит, ты все-таки бросил свою злыдню? Ради этой детки?

— Лена, отвяжись от него, тебе тут ничего не светит! — сказал ее спутник, и я его узнала, это был известный комик Дмитрий Щапов. — Лучше обрати внимание на меня!

— Да пошел ты! Никита, налей мне еще!

— Может, хватит? — жестко спросил Никита.

— Хватит? Почему? Девочка, а ты видела «Запах осени»? Тебе понравилось?

— Лена, тебе не все равно? — попытался отвлечь ее Щапов.

— Как мне может быть все рано? Эта малышка в известном смысле тоже его жертва... Как и я... Жертва Синей бороды... Никита, ты не думал, что ты Синяя борода? Одну загубил, вторую... Им несть числа, теперь вот за несовершеннолетних принялся...

Надо сказать, что все это она произносила красивым низким голосом и была при этом очень хороша. Никита сидел хмурый, сжав губы. А я ни капельки не ревновала! Мне было даже любопытно, я как будто со стороны наблюдала...

— Слушай, Ленка, съешь что-нибудь, а то тебя развезет! — обратилась к ней Наташа. — И вообще, гости дорогие, ешьте, вареников на всех хватит, я как знала, что кто-нибудь свалится на голову! Юра, бери сметану, без сметаны невкусно! Дима, соком полей!

— Никита, это, кажется, твой идеал женщины? Вот такая клуша? Хочешь из девочки тоже такую сделать, чтобы вареники лепила, разжирела, как свинья?

— Ты что, с ума сошла? — вскочил Никита.

У Наташи на глазах выступили слезы.

— Почему? Но это же правда! У вас ведь гласность! Нет больше запретных тем! Натка, ты обиделась, что ли? Но это же правда, ты распустилась просто чудовищно, у вас же тут культ еды! Жрете в три горла...

Щапов подавился вареником.

— Все, заткнись! — рявкнул Никита.

В этот момент сверху спустился Илья Наумович, который укладывал сына и пропустил безобразную сцену.

— Что за шум, а драки нет? Кого я вижу? Ленусик!

— Илюша! Дорогой ты мой! Как я рада! — заверещала Ларина, кидаясь ему на шею.

— Дима, мне неприятно говорить, но лучше бы ты ее увел, — негромко сказала Наташа.

— Натик, ты обиделась на пьяную дуру? Брось, наплюй, мы все тебя обожаем, а эта бьется в истерике... И фильм успеха не имел, и Никитка женился на другой, ее можно только пожалеть...

— Как-то неохота мне ее жалеть!

— Да ладно, брось, ты же добрая душа! Она уж и забыла все, мало ли что бывает по пьяни...

— Ох, как тебе неохота расставаться с варениками, — засмеялась Наташа. — Черт с тобой, оставайся.

— Натик, любовь моя!

— Танюха, давай смоемся? — подошел ко мне Никита. — Ненавижу пьяные скандалы.

— Хорошо, — обрадовалась я.

Никита что-то шепнул Наташе, та кивнула. Он сделал мне знак, идем мол. Я вскочила, но не успела и шагу сделать, как Ларина оторвалась от Ильи Наумовича и вцепилась в Никиту.

— Ник, куда ты? Не уходи, умоляю! Побудь еще, дай хоть наглядеться на тебя! Ну, пожалуйста, ради всего святого!

Он растерялся, я это сразу поняла.

А она все продолжала:

— Не уходи, побудь со мною! Я так давно тебя люблю, тебя я лаской огневою и обожгу и утомлю! Ты помнишь, да? Помнишь, как любил этот романс?

Больше всего на свете мне хотелось материться! Но я понимала — сейчас нельзя!

— Не помнишь, забыл? Не верю! Ты просто при своей девочке стесняешься... А помнишь, как я... Пойдем со мной, Никита, я тебе все напомню, и ласки, и все... Девочка, ты позволишь ему пойти со мной? Я тебе его потом верну. Дашь мне его напрокат?

— Ну, если он сам пойдет с вами, ради Бога. Берите его со всеми потрохами. — Я сама услышала в воцарившейся тишине, как у меня звенит голос. — Никита, решать тебе!

Он словно очнулся от оцепенения, стряхнул ее с себя.

— Таня, идем!

— Ух ты, какие мы гордые! — пробормотала она. — Только все равно она тебя скоро бросит! Вон с каким характером девочка, браво!

Никита взял меня за руку.

— Прости, Наташа, я...

— Никита, не уходи! — расстроился Илья Наумович.

— Илюша, бери завтра Натку, свое чудо-юдо и приезжайте к нам. Туда никто не ввалится, мы живем затворниками, — говорил он другу уже возле машины.

Когда мы немного отъехали в глубоком молчании, я открыла окно и высунулась, чтобы меня хорошенько обдуло. Эта сцена далась мне нелегко.

— Танюха, ты была поистине великолепна.

— Так твою мать!

— Танька, ты чего ругаешься? — засмеялся он.

— Мне еще и не так хочется ругаться, причем давно!

— Давно?

— Да, с начала января!

— Ты что... знала?

— Представь себе!

— Но откуда?

— Случайно. Райка видела тебя с ней в Доме кино и слышала, что по вашему поводу люди говорят.

Он затормозил, съехал на обочину и повернулся ко мне:

— И ты молчала?

— А что я могла сказать? Я очень мучилась, но потом решила, что ты же выбрал меня, да?

— Господи, Танюха, я все думаю, что ты еще совсем девочка, а ты настоящая умная женщина. Опять не удалось дурочку найти... Я люблю тебя, Танька!

— А ее?

— Любил когда-то, очень любил, можно сказать, сходил с ума... Но она уже тогда начала пить... И с этим ничего нельзя было сделать. А выносить пьяницу тяжело. Мы расстались, потом она уехала. А когда я вернулся из Таллина, она позвонила. Прости, что говорю об этом, но лучше пусть все между нами будет ясно. Я услышал ее голос, и мне показалось, что все ожило... Мы встретились после стольких лет, говорили — не могли наговориться...

— Ты с ней спал?

— Да.

— Мать твою! Проклятый кобель!

— Танька, не ругайся, тебе не идет! И потом, пойми, секс не самое главное в любви... Ну, короче говоря, когда первый вихрь прошел, я очнулся и понял, что натворил — ни за что обидел, оскорбил, разочаровал изумительную девочку ради... Не хочу говорить о ней плохо, это некрасиво. Но я понял, что свалял грандиозного дурака.

— Но почему же ты так долго не появлялся?

— Стыдно было, не знал, как посмотрю тебе в глаза, как объясню свое гнусное поведение... Потом утешал себя тем, что стар для тебя, что тебе надо устраивать свою жизнь помимо меня, ну и все то, что обычно говорят себе мужики в такой ситуации. Знаешь, самое смешное, что в моих сценариях и пьесах не раз бывали подобные коллизии, и я всегда понимал, что делать герою, как вести себя... Но на практике, в собственной жизни не мог с этим справиться... Смешно, да? А потом вдруг мне позвонил Матвей, попросил о встрече, я позвал его в ресторан и за обедом он вдруг спросил о тебе. Я сказал, что мы расстались, не вдаваясь ни в какие детали. И вдруг этот сопляк заявляет мне, что встретил тебя, влюбился, а ты его шуганула из-за меня. Да еще он рассказал жалостную историю, как ты целыми днями сидишь на морозе в тулупе и валенках, торгуешь тряпочками... Меня это так задело...

— Что? То, что я на морозе сижу, или то, что Матвей в меня влюбился?

— Танька, я тебя обожаю! Все вместе, но не знаю, что перевесило. Матвей великодушно объяснил мне, как тебя найти в Измайлове...

— А почему ж ты просто не позвонил, не пришел?

— Не знаю... Наверное, боялся... Или хотел себя проверить... посмотреть на тебя со стороны...

— Посмотрел?

— Ну дальше ты все знаешь! — засмеялся он.

— Ты правда сегодня до последней минуты не знал, что она там будет?

— Клянусь!

— Нет, Шуйский, не клянись!

— Господи помилуй, ребенок цитирует классиков! Танька, ответь тоже на один вопрос.

— Хорошо!

— Я был у тебя первым, но ты же, наверное, влюблялась все-таки? До девятнадцати лет, не влюбляясь, трудно прожить.

— Конечно влюблялась, а как же.

— Значит, я у тебя не первая любовь?

— Даже не вторая.

— А кто был твоей первой любовью?

— Яков Моисеевич. Я его безумно любила.

— Как интересно... А сколько тебе было лет тогда?

— Пять.

— Танька, я сейчас задушу тебя в объятьях.

— Пожалуйста, задуши!

Глава 10

ПРИГЛАШЕНИЕ

У нас обоих было ощущение, какое бывает, когда вырвешь больной зуб. Нам теперь стало так легко и хорошо вместе, что казалось, этому не будет конца. Я открывала в своем любимом новые черты, не все они мне нравились, но это такие мелочи... Меня, например, раздражала его манера подтрунивать над моим увлечением цветами, он по-прежнему мне их не дарил. Иногда, если я просила: «Никита, купи мне цветов!», он давал мне деньги и отвечал: «Купи сама, Танечка!» А ему не нравилось, что я недовариваю макароны, как велит большинство итальянских рецептов. Но я-то теперь стала их доваривать, а он мне цветов все равно не дарил, хотя вообще ничего для меня не жалел. Еще он часто ругает меня за то, что я читала много, но бессистемно. Один раз он не мог вспомнить что-то из французской истории, а я хоть и робко, но напомнила ему. Он сначала страшно удивился, а потом раскричался:

— Ну конечно, знания, почерпнутые у Дюма! Ничего не скажешь, отличная школа!

— Какая разница, откуда знания? Да хоть с обрывка газеты в сортире! — огрызалась я. — Кстати, Никита, если тебе попадется в Москве туалетная бумага, купи! У нас уже мало осталось! И еще стиральный порошок! Никак не могу достать, хоть плачь!

— Хитрюга, к чему свела разговор об образовании!

Зимовать мы остались на даче. Топили печку, Никита колол дрова, расчищал снег, по вечерам мы смотрели телевизор, жадно ловя каждое новое слово. Программа «Взгляд», «До и после полуночи» Молчанова, снятые с полки фильмы... Однажды вечером я вдруг вспомнила:

— Никита, ты еще в Пярну сказал, что у тебя есть хорошая новость?

— Ничего пока не вышло и говорить не о чем, — нахмурился он.

Но недели через две вернулся из Москвы сияя:

— Танюха, у меня выйдет книга прозы! В «Советском писателе!» Я уж и не чаял дождаться... Она там провалялась много лет, потом меня обнадежили, а сегодня я узнал, что скоро выходит! Поздравь меня!

— А разве ты пишешь прозу? — удивилась я.

— Сейчас нет, но писал одно время... Рецензии были хорошие, но потом сочли, что книжка слишком острая, а я на уступки не пошел, в конце концов у меня был кусок хлеба...

— Значит, ты сценарии пишешь не для души, а для хлеба?

— Ну, это по-разному бывает... какие-то писал только для хлеба... А эта книга для души! Я кое-что добавлю туда...

— А почему ты никогда мне ничего не показываешь?

— Тебе разве интересно?

— А ты как думал? — возмутилась я.

— Но ты никогда не просила...

— Обязательно надо просить? И потом, я вот прошу тебя о чем-то, а ты... Погоди, а за эту книжку тебе заплатят?

— Конечно, заплатят, и очень даже неплохо! Так что имеешь шанс!

— Никита, а давай...

— Ну, говори, чего тебе хочется?

— Давай... ребеночка родим, а?

У него вытянулось лицо.

— Об этом не может быть и речи!

— Почему?

— Потому что я стар для ребеночка! Не могу... Не хочу!

— Но почему?

— Потому что в нашей стране сейчас рожать может только... Это чистейшей воды безумие! Никто не знает, чем обернется эта перестройка, скорее всего, как говорят, перестрелкой. С продуктами все хуже и хуже, стиральный порошок проблема, а ребенку столько всего нужно! О чем ты говоришь? Лекарств и тех не купишь, не говоря уж об одежонке и всяких детских штуках... Я не хочу, чтобы мой ребенок рос в таких условиях, ты посмотри, люди бегут отсюда кто куда! Кругом очереди! Сейчас у меня должна выйти книга, еще снимают какое-то кино, но где гарантия, что завтра не встанут все студии или вообще не скинут Мишку, и тогда может начаться кровавая вакханалия! Нет, моя девочка, сейчас уж очень неподходящий момент. Только не вздумай прибегать к бабьим хитростям: ах, я сама не знаю, как забеременела, ах, я не хотела... Сразу предупреждаю, если ты хочешь меня обмануть, я больше к тебе не притронусь!

Меня как пыльным мешком прихлопнули.

— Никита, но я не собиралась...

— Короче, я вопрос ставлю так — хочешь во что бы то ни стало родить — скатертью дорожка, ищи для своего младенца другого отца!

— Господи, Никита, что ты несешь, я же тебя люблю и ребеночка хочу от тебя!

— Перестань, ты сама еще ребенок! Двадцать лет! Что ты за мать, не говоря уж обо всем остальном! Тебе еще надо самой встать на ноги, получить хоть какую-нибудь специальность, я ведь в любой момент могу помереть, и что тогда? А еще и с ребенком!

— Почему ты так кричишь, успокойся, не надо так... И почему это ты должен помереть?

— Потому что сейчас мужики мрут как мухи! Я за последний месяц двух своих приятелей похоронил, ровесников! Думаю, и я не задержусь, а ты молодая, успеешь родить, когда помру!

— Перестань, мать твою так! Сию минуту заткнись! Умрет он, да посмотри на себя, кровь с молоком, косая сажень, что там еще... Бабы из-за тебя с ума сходят, думаешь, я не вижу, как твоя машинистка на тебя смотрит! Она перед тобой как курица перед петухом приседает... А ты помирать... Дурак! — И я разревелась.

— Танюха, не реви... Не надо! И прости меня, я что-то сорвался. Но о ребенке не может быть и речи.

— Ну и ладно, пусть... Мне и тебя одного хватает, ты иногда хуже ребенка...

Мы помирились. И больше не разговаривали на эту тему. Но я насторожилась. Сашка ведь давно меня предупреждала, что он не любит детей. А еще она говорила, что, когда у него не идет работа, он внешне держится как обычно, но стоит его чуть-чуть задеть, все это выплескивается наружу... Видно, я его задела. А мне казалось, что у нас все хорошо, тем более он так радовался выходу книги, и вот, пожалуйста...

Я теперь ездила в Москву почти каждый день, английский, курсы, продукты...

На курсах мне безумно нравилось. Нас было человек десять в группе, и Алина Петровна, преподавательница, уже с первых занятий выделила меня. Она говорила, что у меня прекрасное чувство цвета и стиля и к тому же богатая фантазия. Однажды, еще осенью, я надрала в лесу каких-то сухих веток, больше всего они напоминали растрепанный веник. Я принесла их домой, разделила на несколько букетов, вернее веников, и долго задумчиво смотрела на них, решая, с чем бы можно было это сочетать. Выбор был ничтожный. И тогда я покрасила часть веток белилами и из старой шелковой ленты нежно-розового цвета — Милочка купила мне эту ленту, когда у меня немного отросла коса, — сделала крохотные бантики-цветочки и нацепила их на крашеные и некрашеные ветки. И произошло чудо! Веник превратился в изысканный сухой букет! Я еще дополнила его ветками с застывшими кристалликами поваренной соли, и букет стал просто волшебный. Я хотела показать его Никите, но потом решила, что не стоит. Он не поймет, я расстроюсь. Нет, сначала покажу Алине Петровне. Я завернула букет так, чтобы не повредить в электричке, и повезла на ближайшее занятие. Все пришли в восторг! А одна женщина взмолилась: «Таня, ради бога, продай мне букет! Я сегодня иду на день рождения к подруге, ну нечего мне ей подарить! А это так оригинально! Ты же еще такой можешь сделать!»

На радостях я ей его подарила, а Алина Петровна сказала:

— Браво, Танюша! Ах, если бы тебя запустить в один амстердамский магазин, ты бы сошла с ума! Там продают только засушенные или консервированные растения, крашенные во все цвета радуги! Я там провела полдня, но почти ничего не купила, все очень дорого! Может, когда-нибудь и в Москве такой магазин откроют, хотя, боюсь, я до этого не доживу. А ты и вправду молодец, очень смело работаешь! На первый взгляд эти розовые бантики могут показаться пошлыми, но в сочетании с этими вениками... Отлично! Я бы только еще немного розового добавила в белую краску, чтобы просвечивало чуть розоватым, тогда и соль будет лучше смотреться! Имей в виду, такие букеты вполне можно продавать... Я поговорю, одна моя коллега недавно открыла кооперативный цветочный магазин, почему бы не торговать и сухими букетами? Лишние деньги не помешают!

Я ухватилась за эту идею! Я буду тоже зарабатывать, надо на всякий случай иметь свои деньги. Почему-то после разговора о ребенке я часто возвращалась к этой мысли.

На веранде я устроила себе мастерскую. Там было холодно, но зато материал хорошо сохранялся. Я натаскала целый угол веников, расставила ведра с солью, в которой замачивала ветки, чтобы они обросли кристаллами.

— Танюха, ты что тут затеяла? Холодно же, простудишься! — сказал Никита, заглянув на веранду.

— Ничего, я рефлектор поставлю!

— И устроишь пожар на чужой даче.

— Типун тебе на язык!

— Ладно, делай что хочешь. Кстати, ты помнишь, что у Сашки завтра день рождения? Надо поехать в город, позвонить ей, отсюда до Гааги не дозвониться. И потом это ведь не только ее праздник, но и наш с тобой тоже — целый год мы с тобой знакомы.

— А я все думала: вспомнишь, не вспомнишь...

— Как я могу забыть? Этот день всю мою жизнь перевернул...

— Ты жалеешь?

— Не напрашивайся на объяснение в любви! Ты и сама все прекрасно знаешь... А хочешь, давай на Новый год съездим в Таллин, а? Возьмем СВ...

— Не хочу!

— Почему? — страшно удивился он.

— Потому что мне будет страшно оттуда возвращаться, вдруг ты еще какую-нибудь бывшую бабу встретишь...

— Танька!

— Ничего не Танька! Если хочешь знать, мы когда в Доме кино бываем, я смотрю там на баб и думаю: интересно, с этой он спал? А с той? Думаешь, приятно?

— Танька, но я же с тобой! Мало ли что было до тебя! И потом я уже сделал свой выбор!

— Хотелось бы верить.

— Ты чего разворчалась? Иди, поцелую! Не хочешь в Таллин, говори, куда хочешь? В Ригу, в Вильнюс, в Ленинград?

— А в Тбилиси?

— Можно и в Тбилиси, у меня там много друзей, но сейчас не лучшее время. Холодно, иногда такой ветер с гор... Знаешь, ноль градусов в Тбилиси — это как у нас градусов пятнадцать с сильным ветром, а если, не дай Бог, гололед, так даже на такси никуда не доберешься, особенно если надо ехать в гору, а там почти все время надо в гору. Нет, в Тбилиси мы поедем в конце сентября, вот тогда там сказка! Ну, еще идеи есть? Эх, если б я раньше подумал, можно было бы съездить в Прагу... На Рождество... Но у тебя ведь нет заграничного паспорта. Кстати, надо сделать. Интересно, сейчас уже можно сделать паспорт безотносительно... Надо узнать, а то раньше, если нет командировки или приглашения, никто тебе паспорт не выдаст. Но я выясню.

— Никита, а давай Новый год тут встретим, нарядим елку, накроем стол, выпьем шампанского...

— Его еще надо достать!

— Достану!

— Только вдвоем? А что? Довольно романтично!

— Это семейный праздник, а у нас же семья, правда? Ну еще можно позвать Илью Наумовича с Наташей...

— Нет, они на Новый год уедут в Киев, к Наткиной сестре. А мне нравится твоя идея, Танюха. Надо только купить тебе красивое платье, ты же знаешь, Новый год надо встречать в обновках. У меня есть еще сертификаты, поедем в «Березку», хотя что там купишь, лучше закажем у Тины.

— Не хочу у Тины, — испугалась я. — Да ну ее...

— В чем дело? Тебе же она понравилась?

— Мне Сашка сказала, что она... ну это... с женщинами...

— Она что, к тебе приставала?

— Нет, но все равно... Лучше я надену новые трусики и лифчик, и колготки, а платье голубое, прошлогоднее...

— Господи, какое же мне золото досталось, — както даже тяжело вздохнул Никита.

Но все наши новогодние планы полетели к чертям. Никита заболел.

Ночью за неделю до Нового года он вдруг разбудил меня:

— Таня, мне плохо, надо врача...

Я вскочила как ошпаренная.

— Что? Где болит? — судорожно одеваясь, спрашивала я. В доме нет телефона, и вся надежда только на автомат на перекрестке, а если он не работает, придется бежать на станцию, но как его одного оставить?

— Кажется, сердце, и голова болит... дышать нечем... тошнит...

Он был бледный, на лбу выступил пот, губы болезненно кривились, и на них появился белый налет.

— Сейчас, Никита, сейчас я вызову, только не бойся, все пройдет, у тебя так было?

— Нет, никогда... Дай воды...

Я дала ему воды и бросилась к двери.

— Не уходи, мне страшно...

— Я мигом, не бойся, надо врача, я не знаю, что делать...

Я выскочила на улицу и со всех ног бросилась к автомату. И, конечно, он не работал. Я как сумасшедшая понеслась дальше, и вдруг увидела машину «скорой помощи», которая отъезжала от ярко освещенного дома. Недолго думая, я кинулась под колеса. Шофер успел затормозить, но покрыл меня трехэтажным матом.

— Ты что, совсем опупела, шалава?

— Врач! Мне срочно нужен врач, мужу плохо, он умирает!

— Напился небось как свинья, а ты, дура, под колеса кидаешься! Уйди с дороги, курва!

— Не уйду, мать твою! — Я тоже не осталась в долгу, обложила его будь здоров!

Из машины выглянул пожилой дядька.

— Что там такое?

— Вы врач? Ради бога, умоляю, помогите, муж умирает! Ему совсем плохо, автомат не работает, пожалуйста, тут недалеко!

— Да он у тебя пьяный небось, сколько ему лет, двадцать? Упился до чертиков?

Я плюхнулась в снег на колени.

— Я все равно не уйду с дороги, он не пьяный, ему сорок три года, сердце...

— Сорок три? Не пьяный? А ну живо в машину. Здесь далеко?

— Рядом!

Никита лежал с закрытыми глазами. Умер! — мелькнуло у меня в голове. Но врач затопал ногами, стряхивая снег с ботинок, и Никита открыл глаза. Слава тебе, Господи!

Врач подышал на свой фонендоскоп, согревая его, послушал сердце, легкие, смерил давление, а я стояла рядом и только молила Бога, в которого не верила: «Боженька, помоги, пожалуйста, не дай ему умереть. Боженька, я тебя никогда ни о чем не просила, спаси моего мужа!»

— Ну что, доктор, жить буду? — хрипло спросил Никита.

— Будете, вон у вас жена какая молоденькая, любит вас, чего ж не жить. Но по-хорошему надо бы в больницу, дорогой товарищ.

— У меня инфаркт?

— Не думаю, хотя наверняка можно сказать, только сделав ЭКГ, а у нас аппарата нет... Вообще, считай, ничего нет с этой перестройкой. Я вот вам сейчас укольчик сделаю и подожду часок, поглядим, что к чему. Расскажите-ка, как сердце болит? Загрудинные боли? В лопатку отдает?

— Да нет, тянет как-то и все время дурно...

— Ничего, сейчас будет полегче. А ты, красавица, поставь-ка чайку, у нас уже смена кончилась, а тут ты...

Я поила его чаем, делала бутерброды.

— Как тебя звать, девочка?

— Таня.

— Он и вправду тебе муж?

— Конечно! Скажите, он не умрет?

— Здоровенный мужик, поживет еще, только курить надо бросить, ну и пить поменьше.

— Он мало пьет вообще-то, курит много...

— Любишь его?

Я в ответ только кивнула.

— Вон как на колени бросалась... Придется тебе, Таня, последить за мужем, чтобы кофе много не пил, крепкий чай... Бульоны опять же не рекомендую, жареное, соленое...

— Ой, а чем же его кормить?

— Овощи, фрукты, отварное мясо, курица там, рыба, творог, кефир, каши... Не помрет с голоду твой муж.

— И это уже навсегда?

— Да нет, пусть посидит на строгой диете месяц-другой, а потом постепенно можно ослаблять. Вот только мясные супы лучше вообще исключить. Ну и следи, чтобы пил лекарства. Давление у него очень высокое, гипертонический криз. Слава Богу, не инфаркт, как мне кажется.

Напившись чаю, доктор заглянул к Никите.

— Ну как дела, больной?

— Лучше, доктор, спасибо. Не пойму только, как вы так быстро появились?

— Повезло! Жена ваша под колеса кинулась, на коленях стояла, просила мужа спасти. А то у нас смена-то кончилась. Ну-ка, я еще давление померю. Ага, уже лучше! Но помните — надо вылежать. Все ограничения соблюдать как минимум месяц! Я жене вашей все объяснил, сейчас еще рецептики выпишу... Сумеете лекарства достать, у вас, может, есть кто знакомый в четвертом управлении или еще где?

— Достанем!

— Ну и ладненько. Сейчас вам еще укольчик сделаю, последняя ампулка осталась, и будете спать как младенчик. Только завтра не вскакивайте сразу. Туалет у вас в доме? Доходить только до туалета и сразу в постель. Да, врача все же вызовите! А по-хорошему, неплохо бы в больнице обследоваться, а то мало ли... Да, и красавицу вашу ублажать особо не спешите. Но думаю, недельки через две — можно! — он добродушно хохотнул. — Нет у вас инфаркта, так что считайте повезло. Но все ж таки провериться рекомендую.

Он уехал. Я на прощание сунула ему двадцать пять рублей. Он с удовольствием взял.

— А может, вы еще заедете к нам? Посмотрите его?

— Я через два дня дежурю, если будет время, загляну, почему не заглянуть к хорошим людям?

Когда я вернулась в дом, Никита уже спал. И цвет лица у него был ближе к норме. Неужели обошлось? Но я так испугалась! Спать, конечно, не могла. Села в соломенную качалку. Надо бы с утра поехать в Москву за лекарствами, но как я его оставлю? Я вспомнила, что у Алины Петровны мать работает в аптечном управлении. Кинусь ей в ножки, потому что Никита терпеть не может кого-то о чем-то просить. А ему сейчас нельзя нервничать. Но когда ж я смогу поехать? Хотя зачем мне сразу ехать? Я позвоню со станции Алине Петровне и попрошу достать лекарства. А поеду уже ближе к вечеру.

У меня все заняло минут двадцать, я туда и обратно бежала как сумасшедшая, и когда на цыпочках вошла в комнату, Никита сразу открыл глаза.

— Ты почему в пальто? Где была?

Я объяснила.

— Бедная девочка, ты хоть поспала?

— Нет, но это неважно, отосплюсь. Мне обещали достать лекарства. Ты есть хочешь?

— Нет. Меня тошнит еще... Но все-таки мне лучше...

— Хочешь мандарин?

— Пожалуй.

В результате я скормила ему целых три мандарина, вкладывая по долечке в рот. Как я любила его в эти минуты...

— Вот теперь мы уж точно встретим Новый год вдвоем, — грустно улыбнулся он.

— Очень хорошо, и шампанское доставать не нужно!

— Это почему?

— А тебе нельзя! Тебе теперь вообще ничего нельзя.

— Танька, ты правда под машину кидалась?

— Правда!

— И на коленях стояла?

— Стояла, ну и что? Подумаешь, большое дело! А ты для меня не кинулся бы, не встал бы на колени?

— Для тебя? Кинулся бы, даже и не задумался, а вот на колени бы не встал... Я бы сразу морду набил...

— Ну я ж не могла одна набить морду двум мужикам!

— Ты? Могла бы, просто не сообразила! — засмеялся он. — Вот я тебе еще и жизнью обязан...

— Ты меня любишь?

— Надо отвечать, так не ясно?

— И ты можешь сделать для меня кое-что?

— Вот чувствую, что ты сейчас сдерешь с меня какую-нибудь мерзкую клятву, бросить курить, например...

— Точно!

— Танюха, это бесчеловечно!

— Ну, пожалуйста!

— Танька!

— Никита, пообещай мне... Это же ради тебя...

— Ради себя не согласен, а вот ради тебя... ради тебя я готов, тем более что сейчас мне даже думать о сигарете противно.

Постепенно он поправлялся, хотя иногда еще чувствовал слабость и дурноту, но доктор сказал, что это естественно, у сосудов долгая память. Новый год мы встречали вдвоем, тихо, уютно, я испекла пирог с капустой, хотя мука была отвратительная и тесто получилось некрасивое, темное, оно рвалось на куски, но все же пирог получился вкусный. В заказе дали баночку красной икры, я не хотела ее открывать, Никите ведь нельзя соленое, но он настоял.

— Танюха, от нескольких икринок на бутерброде ничего со мной не будет! А праздник у нас с тобой в духе времени — безалкогольный!

А вот потом начались сложности. Он чувствовал себя нормально и не желал соблюдать диету и режим. Правда, не курил, во всяком случае, я не замечала. Но он совершенно не мог работать без сигарет! Стал раздражительным, злым, срывал это зло на мне, но я все терпела ради его здоровья. Ничего, привыкнет.

Однажды в магазине возле курсов выбросили стиральный порошок «Диксан» в трехкилограммовых пачках! Порошок хороший, с приятным запахом! Очередь была большая, но двигалась довольно быстро, и мне удалось купить две пачки! Тащить такую тяжесть на дачу я не хотела, тем более что у меня были еще продукты, и я решила отвезти порошок домой. Потом Никита на машине заберет.

В почтовом ящике лежало несколько новогодних открыток и письмо в длинном заграничном конверте. Оказалось, что открытки были не мне, а соседке с восьмого этажа. Я бросила их в ее ящик. А вот письмо пришло мне. От Райки! Я жутко обрадовалась и прямо на лестнице распечатала конверт. Письмо было написано на красивой голубой бумаге.

«Татьянка, привет! Как поживаешь? Не сбежала еще от своего Никиты? Наверняка нет! Я живу клево, но тяжело. Работаю, как ишачиха! Каждый день занимаюсь языками: итальянским и английским, в голове каша, но итальянский мне легче дается. А еще занятия вокалом! Иногда я летаю как на крыльях, а иногда чувствую себя полной бездарью, все зависит от настроения моего педагога, маэстро Туччи. Он потрясный старикан и считает, что у меня может быть большое будущее, если я не буду лениться. Можно подумать, у меня есть такая возможность, но просто я не всегда его понимаю, и он уже два раза треснул меня нотами по башке. Но я не обиделась, а он потом извинялся и угощал кофе с пирожным. И все-таки Гленчик успел свозить меня в Рим и в Неаполь! Красота обалденная! Ну, про Париж я вообще не говорю! Конец света! Гленчика вижу мало, он все разъезжает по делам. А теперь, Татьянка, самое главное! В начале апреля маэстро Туччи на три недели уедет в Швейцарию лечиться, и мне придется заниматься самой. Глен в это время будет в Америке, у его подопечного там какое-то турне.

Я думала, он возьмет меня с собой, но он не хочет. Тогда я сказала: ах так, тогда я хочу пригласить в гости подружку. И он согласился, даже обрадовался, ты ему понравилась! Татьянка, если ты согласна, позвони мне и скажи, я вышлю тебе приглашение! Только не тяни, а то эти в ОВИРе душу вынут, поэтому надо спешить! Я и письмо тебе послала с оказией, и приглашение так же пошлю, а то может пропасть, такое часто бывает. Танька, приезжай! Оторвемся! Я, конечно, все равно буду заниматься, но все же! Сходим в Ла Скала! Это дикий кайф! Я даже не знала, что такое бывает! Все. Целую, привет Никите!»

Господи, неужели такое возможно? Поехать к Райке в Милан! Увидеть своими глазами Италию! В душе поднимался восторг, но я тут же сказала себе: погоди, надо же еще поговорить с Никитой, это, наверное, очень дорого, и потом, как он останется один на три недели? А вдруг он обидится, что его не пригласили? Лучше не настраиваться! К тому же меня запросто могут не выпустить! Надо поскорее показать ему письмо, интересно, что он скажет?

А он улыбнулся:

— Танюха, надо срочно жениться!

— Почему? — удивилась я.

— А тебя незамужнюю не выпустят! А еще могут не впустить в Италию. Так что теперь не отвертишься!

— Значит, ты считаешь, что мне надо ехать?

— Не может быть двух мнений! Ехать необходимо! Завтра идем расписываться!

— Как – расписываться? Надо же ждать там сколько-то...

— Это если на общих основаниях, а если по блату...

— У тебя есть блат в ЗАГСе?

— Представь себе! Правда, это не Дворец бракосочетаний, а обычный районный ЗАГС, но, по-моему, это большого значения не имеет!

— Никита!

— Что, Никита? Я давно тебе предлагал жениться, а ты не желала, а вот теперь я тебя окольцую! Только свадьбу не будем устраивать, а?

— Да ну ее...

— Умница.

Мы заехали в ЗАГС, где работала Никитина бывшая одноклассница. Увидев меня, она только головой покачала:

— Ну, Никита, ты даешь! Я думала, ты внука регистрировать придешь, а ты вон что удумал!

— Нелька, не вредничай! Таня, она хорошая женщина, но еще в школе пыталась меня перевоспитывать, была у нас председателем совета отряда!

— Вспомнила баба як девкой была! Ладно, черт с вами, распишу, только не сегодня, а послезавтра! Приезжайте к десяти утра да свидетелей захватите! Все, гуляйте, мне некогда!

Послезавтра в сопровождении Ильи Наумовича и Наташи мы явились в ЗАГС, расписались, выпили по глотку шампанского. Больше я Никите не дала.

— Нет, Илюха, ты видишь, на какой мегере я женился? Не дает выпить даже на собственной свадьбе.

— И правильно делает! — поддержала меня Наташа.

Потом мы поехали в Дом литераторов обедать. Никита был милый, веселый, но несколько раз выходил из-за стола под разными предлогами. То в туалет, то вдруг увидел какого-то нужного человека... А я внезапно поняла — он ходит курить! Потому-то он и стал опять таким добрым и славным. Но ведь ему нельзя!

Я поделилась своим открытием с Наташей.

— Таня, не огорчайся! С этим трудно бороться! Илюшка сколько раз бросал, а стоит понервничать — и снова-здорово! Не пьет, и на том спасибо. Ты свои нервы побереги! Значит, его еще не очень припекло! Но все-таки ты делай вид, что не знаешь. Тайком он куда меньше выкурит.

Через несколько дней пришло приглашение, и я с ним отправилась в ОВИР. Отстояв огромную очередь, подала документы.

— Вряд ли вам дадут, — высказался дядька в очереди, — такая молодая, первый раз едете, да еще в капстрану, по частному приглашению... Скорее всего откажут!

Я передала этот разговор Никите.

— Ерунда! Сейчас времена изменились, скорее всего разрешат! А знаешь, Танюха, боюсь, что нам придется искать другое пристанище.

— Почему?

— Я что-то устал жить без телефона... А потом, скоро здесь начнется такая грязь, все развезет, и к тому же у меня нет спокойной минуты, когда ты в городе. Сейчас стало так тревожно, и в электричках шалят, нет, надо перебираться в город, я уж просил всех знакомых, если кто услышит, что сдается квартира... Да и у меня в городе сейчас куча дел... В Союзе у нас заварушки вечные, и в Союзе писателей тоже. Никуда не денешься, сельская идиллия себя изжила. А ты тоже поспрашивай у своих цветочниц насчет квартиры.

— Хорошо, — пообещала я. Мне было грустно расставаться с этим домом, с ним было связано столько хорошего... Вообще, как ни странно, с того дня, как мы расписались, меня частенько захлестывало тревогой, сама не знаю почему. Никита был вполне здоров, я все-таки заставила его обследоваться, и у него ничего страшного не обнаружили. Сказали, что, конечно, надо следить за давлением, пить какие-то таблетки, и все. Он опять курил, хоть и не так много, был очень нежен со мной, а мне все-таки было тревожно. Ему я ничего не говорила, а сама подумала — наверное, я просто боюсь решения ОВИРа, любого решения. Если не разрешат, это будет ужасно обидно, неприятно. А если разрешат — то страшно ехать совершенно одной за границу, в чужой дом... Это соображение показалось мне правдоподобным.

Квартира вскоре нашлась, в доме писателей на улице Черняховского. Нормальная двухкомнатная квартира с неплохой мебелью, чистенькая. И мы туда перебрались.

— Не расстраивайся, Танюха, все к лучшему в этом лучшем из миров! Съездишь в Италию, а летом мы с тобой мотанем к морю!

— В Пярну?

— Да нет, не в Пярну, — засмеялся он. — Придумаем что-нибудь, может быть, в Коктебель, там видно будет!

В последнее время мне часто снился сон — я вхожу в булочную, а там продают не хлеб, а цветы, срезанные и в горшках, и сухие тоже. Там красиво, красивее, чем в таллинском магазине, но я спрашиваю: «Где же хлеб?» А мне отвечают: «Хлеб кончился, теперь вместо хлеба цветы!» Ничего особенно странного в этом сне тоже не было, поскольку теперь чем только не торговали в самых, казалось бы, неподходящих местах. Недавно я заглянула в рыбный магазин, смотрю, а там прилавок завален... женскими трусами. И такое на каждом шагу!

Но в один прекрасный день пришла открытка из ОВИРа. Мне разрешили выезд.

Глава 11
В МИЛАНЕ

Райка чуть не задушила меня в объятиях.

— Татьянка, до чего ж я рада! Сколько я всего тебе покажу, а уж наговоримся! Сегодня у меня вечер свободный. Зачем тебе столько вещей?

— Да тут всякие подарки из Москвы. Мне сказали, что надо водку, селедку, черный хлеб... Еще говорили про гречку, но я не достала.

— Черняшечки я съем! Кайф! Ты куда тянешь сумки? Тележки же есть! Совсем дикая, что ли?

— А ты когда первый раз за границу попала, не дикая была?

— Еще какая дикая! Гленчик просто помирал со смеху! Но зато теперь! Как думаешь, на чем сейчас поедем?

— На такси?

— Подымай выше! У меня, Танька, теперь машина с шофером, он возит меня, куда мне надо!

— Врешь небось!

— И не думаю! Гленчик мне нанял, чтобы я зря время не тратила, вот. Он меня возит на уроки, по магазинам, вообще, куда скажу. Ну и присматривает за мной, наверное.

— Зачем за тобой присматривать?

— Чтобы Гленчик был в курсе... — засмеялась она.

Машина была шикарная. Шофер подскочил, выхватил чемоданы из тележки, открыл нам дверцы, одним словом, все как в кино. Усевшись на заднем сиденье, мы опять обнялись.

— Ох, Татьянка, как я рада!

— А я как рада!

Райка довольно бойко что-то начала объяснять шоферу по-итальянски, а я во все глаза смотрела по сторонам.

— Сейчас он нас прокатит немножко по городу, а потом домой! — Райка сыпала итальянскими названиями: «Кастелло Сфорцеско», «Санта-Мария делла Грация».

— А вот это Миланский собор, видишь, какая красота! А вот и Ла Скала! Внутри, кстати, Большой театр красивее, но поют здесь... Умереть, не встать! Маэстро Туччи говорит, что когда-нибудь я выйду на сцену Ла Скала... Ты можешь себе представить?

— Не могу, Райка!

— Вот и мне трудно, но все-таки... Шанс есть, и я этот шанс использую, не упущу! Ладно, к черту! Сегодня гуляем!

Квартира на втором этаже старинного дома была поистине роскошной.

— Мама дорогая! Вот это да! — ахнула я.

— Сейчас покажу тебе твою комнату... Ну как?

— Я буду тут жить?

— Ясное дело, а где же? Нравится?

— Райка, какие цветы! Это для меня?

На туалетном столике стояла большая хрустальная ваза с роскошными нежно-розовыми тюльпанами, их было штук тридцать, не меньше!

— Устраивайся, вот тут ванная, твоя персональная, между прочим.

— Обалдеть! Райка, а где твоя золовка?

— Золовка-колотовка! Ушла куда-то! Она вообще-то неплохая, жить можно, только зануда. Тань, ты голодная?

— Нет, я в самолете ела.

— Слушай, Тань, у тебя что-то стряслось? Ты какая-то не такая...

— Стряслось, Рай... Я с Никитой поссорилась.

— Ерунда! Помиришься! Не бери в голову!

— Не получается, — вздохнула я. — А вообще-то, наверное, и вправду ерунда...

— Тань, Эмилия хотела приготовить для тебя итальянский обед, но я ее с этой идеей задвинула, сказала, что нам это неинтересно и мы будем обедать в ресторане.

— Какой обед, время восьмой час!

— Ты ничего не понимаешь, здесь обедают часов в восемь!

— А ужинают?

— Какой ужин после такого обеда?!

— Рай, а может, не стоит? Посидим дома... Я чего-то устала, тащиться куда-то...

— Ерунда! Во-первых, нас повезут на машине, а потом доставят домой, а во-вторых, я заказала столик, это очень модный ресторан.

— Черт с тобой, уговорила!

Ресторан и вправду был шикарный! Обслуживание просто невероятное! Когда нам подали горячее под серебряными крышками, два официанта застыли у стола, взявшись за пупочки на этих крышках и вдруг одновременно сняли их удивительно слаженным и красивым движением.

— Мама дорогая, просто балет! — ахнула я.

Райка была страшно довольна произведенным впечатлением.

К десерту она заказала шампанское.

— Имей в виду, шампанское не какое-нибудь! «Дом Периньон»!

— Да ты что? Я про него где-то читала... Но это же жутко дорого!

— Ничего, Гленчик не разорится! — При этих словах в глазах Райки промелькнуло странное выражение. — Пей, Танечка, мы обязаны всю бутылку вылакать, иначе будет мучительно больно... Ну, тебе понравился обед?

— Да я сроду ничего такого не пробовала!

Выпив залпом полбокала, Райка спросила:

— Тань, ну что там у тебя с Никитой вышло? Как вообще ты живешь?

— Вообще хорошо, но... У него недели за две до моего отъезда неприятность случилась... В издательстве должна была выйти его книга, ее десять лет там мурыжили, потом пообещали, что вот-вот она выйдет, даже часть денег выплатили, а теперь сказали, что опять откладывают... он расстроился, ужас!

— А что там такое в этой книжке? Ты читала?

— Читала, конечно. Там и вправду много всякого такого... Ну... антисоветского, что ли...

— Но теперь же почти все печатают! Ты не думай, я тут в курсе...

— Так-то оно так, знаешь, сколько толстых журналов Никита выписал: «Новый мир», «Нева», «Дружба народов», «Знамя» — и это не все. А в издательстве ему кто-то объяснил, что его книга никому не интересна, потому что он при Брежневе был не диссидентом, а вполне благополучным киношником, и его имя никого не может привлечь.

— Вот сволочи! А если человек хорошо пишет? Он хорошо пишет?

— Мне кажется, что очень хорошо, и многие говорят... Илья Наумович, например, это его друг, думает, что просто какой-то завистник и злопыхатель говорил с ним... Что надо забрать книжку из издательства, предложить в журнал и прекрасно все прозвучит... Но я не знаю... Никита расстроился ужасно, а еще ему кто-то шепнул, что это его бывшая жена постаралась... Может, и врут, конечно...

— Ну хорошо, а ты-то тут при чем?

— Просто я рядом, вот он на мне и отыгрывается. Но мне его жалко, я терплю, а он... Я ему за день до отъезда говорю: «Никита, давай я не поеду! Останусь с тобой!» А он как заорет: «Даже не заикайся об этом! Ты же сама мне никогда этого не простишь! И так уж люди говорят, что я твою жизнь заедаю, что девчонки в твоем возрасте так не живут. Ни на дискотеку сходить, ни потанцевать!» — «Господи, какие глупости, я сама не хочу на дискотеку, там такой шум, что голова трескается!» — «Нет! Ты просто приносишь себя в жертву! А мне не нужны никакие жертвы!»

Я пытаюсь ему что-то сказать, объяснить, как я его люблю, а он только пуще орет: «Все вы, бабы, одинаковые, приносите себя в жертву с полным упоением, а потом требуете стопроцентного погашения долга! Да еще с приплатой! А если ты не можешь расплатиться сполна, тебя стирают в порошок! Или душат никому не нужной любовью!» — «Значит, тебе моя любовь не нужна?» — «Не о тебе речь! Ты вообще еще сопливая девчонка!»

Он хлопнул дверью, убежал. Я ревела, решила, что никуда не поеду. Но поздно вечером он пришел, извинился, утром отвез в аэропорт. Но в последнюю ночь даже не поцеловал меня, повернулся к стенке и заснул. Мне так обидно было... И простился он со мной как-то... Не скажу, что холодно, но и без теплоты...

— Да, дела... Ну ничего, соскучится, все забудет. Ты, Татьянка, такая красивая стала и сексуальная... Раньше ты была не сексуальная, а теперь... просто очень... Он у тебя клевый мужик, да?

— Наверное, мне ж не с чем сравнивать, у меня не такой опыт, как у тебя.

— От этого опыта одни неприятности... Странное дело, Тань, как у нас с тобой все в параллель... У меня ведь тоже с Гленом все непросто... Я не писала про это...

— А что? — испугалась я.

— А то, что у Гленчика проблемы членчика...

— Что?

— То. Понимаешь, он двустволка.

— Двустволка? Что это такое?

— Ну ты даешь! Невинная душа! Двустволка — это... Короче, это те, кто и с женщинами может, и с мужиками...

— Как?

— Очень просто! Вот он в меня вроде бы здорово влюбился... А через несколько месяцев я его с парнем застукала... Думала, умру на фиг! И уже не могла его к себе подпустить, с души воротило... Но ему не больно-то и надо.

— Зачем же он на тебе женился? Какой ему смысл?

Собственные горести показались мне сущим пустяком.

— Он в голос мой влюбился! Когда приезжает, часами может слушать даже мои упражнения... Видно, ему под мое пение слаще о попе какого-нибудь парня мечтается!

— И что ж теперь?

— А теперь у нас с ним вроде как контракт. Он оплачивает все — мою учебу, жизнь, любые прихоти, в разумных пределах, а за это я, когда начну выступать, буду отдавать ему какие-то проценты от своих гонораров и буду официально считаться его женой. А он будет моим импресарио.

— А если ты влюбишься?

— Нет, Татьянка, хватит с меня. Я теперь не влюбляться буду, а карьеру делать! И для этого мне нужен

Гленчик. Зато когда я стану знаменитой и богатой, выплачу ему все и как дам коленкой под его голубой зад! А уж тогда огляжусь вокруг, нет ли где подходящего мужика.

— А как же ты... без этого дела обходишься? Ты ж такая страстная была, сама говорила?

— Слыхала такое слово — мастурбация? Очень даже иногда неплохо получается.

— Райка!

— Что – Райка? Чего ты ахаешь? По крайней мере, со всех сторон безопасно. Не заразишься СПИДом, не залетишь, не пустишь под одеяло и в душу какую-нибудь сволочь... Честно говоря, мне не сволочь еще не встречалась. Ну что ты так на меня смотришь? Жалеешь? Не надо меня жалеть, у меня все прекрасно! Я ж не говорю, что навеки откажусь от нормального траха, даже не собираюсь, но жизнь меня в такие условия поставила, и я хочу их использовать на всю катушку, стать такой певицей, что чертям будет тошно! Все, меняем тему! Завтра с утра два часа буду заниматься, а ты на машине поедешь смотреть город, пойдешь в Миланский собор или куда захочешь. А потом...

— Рай, а можно мне послушать, как ты занимаешься?

— Да ты что, это неинтересно.

— А тогда можно я просто сама погуляю? Неохота мне на машине...

— Понятно, совковые дела! — засмеялась Райка. — Ладно, погуляй утром два часа, а потом вместе поедем все смотреть. Имей в виду, вечером мы идем в гости.

— К кому?

— Тут живет одна русская семья, очень хорошие люди, эмигранты. Он преподает в Миланском университете русскую литературу, а она концертмейстер в Ла Скала. Когда они узнали, что ко мне подружка из Москвы приезжает, жутко обрадовались, еще бы, свежий человек из Союза, хотят тебя обо всем расспросить...

Мне почему-то казалось, что Никита обязательно позвонит узнать, как я добралась, но он не позвонил, или звонил в наше отсутствие? От этого мне было как-то тревожно, и я плохо спала в роскошной кровати на роскошном белье.

Утром меня разбудила Райка.

— Татьянка, вставай! Завтракать будем! Заодно с Эмилией познакомишься. Погода сегодня гнусная, так что гулять не больно-то...

Эмилия оказалась вполне приятной теткой, но самым приятным было то, что с ней надо было говорить по-английски, и у меня это неплохо получилось. Не зря я почти год занималась с преподавательницей из МГИМО! Райка одобрительно кивала.

— А я все-таки немножко погуляю, подумаешь, дождик! Возьму зонт!

— Не потеряешься? А то, может, все-таки машину вызову?

— Не надо! Я сама! Я хорошо ориентируюсь. Но на всякий случай напиши мне на бумажке адрес по-итальянски.

— Ну как хочешь. Но к двенадцати возвращайся, вместе куда-нибудь закатимся. Вот, возьми деньги...

— Да ты что! У меня же есть, я в Москве поменяла!

— Ох, у советских собственная гордость, — засмеялась Райка. — Туфли-то хоть удобные?

— Да!

И я отправилась гулять по Милану. Одна! Это было так странно, немного боязно, но потрясающе интересно. Я, что называется, шла куда глаза глядят. Улица, на которой жила Райка, была тихая, магазинов совсем мало, но стоило мне свернуть за угол, как я попала на торговую, оживленную даже в утренний час улицу. Меня тянуло заглянуть хоть в какой-то магазин, посмотреть на капиталистическое изобилие, о котором я столько слышала, но я побаивалась.

Никита до нашей ссоры наставлял меня:

— Имей в виду, Танюха, в первые дни ничего не покупай, обязательно купишь какую-нибудь дрянь. Глазки разбегутся, сердчишко забьется... А как немного обвыкнешься, сможешь отличить приличную вещь от базарной дешевки. Денег у тебя конечно, маловато, но все же на кое-какие шмоточки хватит. Уверен, ты получишь удовольствие. Но советую, лучше купить одну хорошую вещь, чем накупать всякую дрянь.

И я решила внять его совету, не заходить в магазины. Но у витрины колбасной лавки я застыла. Господи, такое и вообразить невозможно! И хотя я только что хорошо позавтракала, у меня потекли слюнки. И лишь мощным усилием воли я смогла оторваться от волшебного зрелища. После наших пустых магазинов это убивало наповал. Надо еще попросить Райку сходить со мной в супермаркет, там, говорят, у советских людей случаются обмороки. Я шла очень медленно, глазея по сторонам, и мало-помалу в душе поднимался восторг. Я, Танька с улицы Углежжения, гуляю по Милану, я приехала сюда в гости, на пальце у меня обручальное кольцо, и в Москве меня ждет любимый человек, муж, знаменитый сценарист. Он меня любит, несмотря ни на что, как я могу в этом сомневаться, ведь он даже женился на мне, чтобы я могла сюда приехать! И впереди у меня три недели в сказочной стране! Райка вчера говорила, что мы обязательно поедем в Рим и во Флоренцию! А я еще чем-то недовольна, да ерунда это все! Ну поцапались мы с Никитой, подумаешь, большое дело! Помиримся! Милые бранятся — только тешатся! Он соскучится по мне и еще больше будет любить! А я обязательно куплю ему какой-нибудь хороший дорогой подарок. Лучше всего видеомагнитофон. В Москве это такая редкость, а тут, говорят, их навалом. Но неизвестно, хватит ли денег, надо будет узнать. Если хватит, больше ничего покупать не буду. И, приняв такое мудрое решение, я совершенно воспряла духом.

На обратном пути я вдруг заметила цветочный магазин почти напротив Райкиного дома. Когда я вышла, он был закрыт, вот и не обратила внимания. Конечно, я прильнула к витрине. Чего там только не было! И на тротуаре возле магазина тоже стояли цветы. Многие я никогда прежде не видела. Из магазина выглянула девушка и что-то спросила по-итальянски, мило улыбаясь. А я, как дура, поспешила уйти, отчего-то смутившись. Попрошу Райку со мной зайти потом. Наверное, дивные розовые тюльпаны она именно тут покупала. Вообще, у нее в квартире много срезанных цветов. А в горшках нету.

— Вернулась? Не заблудилась? Молодчина! — весело встретила меня Райка. — Ну как, где была?

— Да просто гуляла...

— Небось на витрины пялилась после московской нищеты-то?

— Пялилась.

— А я первый раз выехала — и сразу в Париж, да с богатеньким мужем. Думала, в дурдом попаду! Но ничего, быстро привыкла, как будто так и надо. Я гляжу, ты ничего не купила. И правильно сделала. Устала?

— Нет!

— Дождь кончился, вот и чудненько. Отдохни минут двадцать — и поедем.

Мы до пяти часов катались по городу, смотрели достопримечательности, и у меня уже голова распухла от безумного количества сведений, которые обрушились на нее. Райка покупала туристические буклеты и переводила мне с итальянского. Некоторые буклеты были на английском, и кое-что я сама могла разобрать. Потом мы перекусили в уличном кафе. Мне все казалось необыкновенно вкусным, не хуже чем в шикарном ресторане. А на обратном пути я попросила:

— Райка, давай зайдем в цветочный, мне поглядеть охота, а сама я постеснялась.

— Мы туда обязательно зайдем, когда в гости поедем. Надо же купить цветов Анне Игоревне.

...Когда я вошла в этот магазин, я забыла обо всем на свете, там было так красиво и так пахло... Этот запах был еще в сто раз упоительнее таллинского, в нем было что-то... всемирное, что ли... Тот запах был более уютным, а этот... Он волновал, как... море, когда я первый раз увидела его при свете дня, словно какие-то горизонты передо мной открылись...

— Танька, ты чего? Ну, что будем покупать? Смотри, какой букет, может, его возьмем, а?

— Раечка, а можно я... сама... подберу букет, а? Мне так хочется! Какой-нибудь небольшой, недорогой...

— Ой, да ради бога, в чем проблема, уж на букет можно потратить денежки, двустволка заплатит!

Я огляделась в этом волшебном царстве и как во сне начала составлять букет. Я делала это по наитию, плюнув на все правила аранжировки, внушенные Алиной Петровной. Девушка-продавщица в первый момент хотела было вмешаться, но потом вдруг заинтересованно замолчала. Краем глаза я заметила, что в магазине появился мужчина, поздоровался с Райкой, но я даже не взглянула на него. Наконец букет был готов, он получился не очень большим, но, на мой взгляд, волшебно-красивым.

— Вот! — сказала я Райке. — Нравится?

— Охренеть! Я таких и не видела никогда! Теперь еще его упаковать красиво, и тогда вообще...

Мужчина тоже оглядел букет и что-то спросил у Райки. Она засмеялась.

— Тань, познакомься, это Гвидо, хозяин магазина.

Только тут я очнулась и посмотрела на него. Это был довольно высокий человек, лет тридцати, с приятным мужественным лицом, темноволосый, темноглазый. Он очень внимательно и даже ласково на меня смотрел.

— Тань, он говорит, что в полном отпаде от твоей красоты и от красоты букета! Говорит, что готов хоть сегодня взять тебя на работу! А я ему сказала, что ты замужем. И он, похоже, расстроился.

— Да ну тебя, Райка, ты ему лучше скажи, что я никогда в жизни не видела такого красивого магазина.

— Такую ерунду переводить не собираюсь! Подумаешь, что ты вообще в этой жизни пока видела? Если хочешь, скажи сама, он говорит по-английски.

Набравшись храбрости, я сказала ему:

— Я приехала из Москвы, у нас там нет таких магазинов, нет таких цветов, но я надеюсь, что будут! А я училась на курсах...

— Синьорина, простите, синьора, любит цветы? Я могу показать вам еще не такое... Отвезу вас в самые роскошные магазины и теплицы. Хотите посмотреть?

— Да, очень хочу! Если можно...

— Можно, конечно, можно! Завтра с утра я свободен, и мы сможем поехать... Я вам утром позвоню!

Мы попрощались и ушли. Уже в машине Райка сказала:

— Танька, ты поразила мужика в самое сердце, он втюрился как бобик!

— Да ну, просто ему понравился мой букет!

— Букет букетом, но он так на тебя смотрел! Он, между прочим, вдовец.

— Ну а мне-то что? Я замужем!

— Подумаешь, сегодня замужем, завтра разведешься!

— Еще чего!

— А ты с ним поедешь цветочки нюхать?

— Я? А ты?

— Да что я, больная?

— Почему?

— У меня времени на это нет. Да и мешать вам не хочу! Эх, Танька, вот было бы клево, если б ты с ним роман закрутила, приезжала бы сюда почаще, кайф!

Утром Гвидо действительно позвонил.

— Танька, не бойся, он нормальный мужик, повозит тебя, покажет все, угостит ланчем, поди кисло? Тебе ведь это интересно, в сто раз интереснее всяких соборов, верно? И он никогда ничем тебя не обидит, я ведь его постоянная клиентка, это тебе не жук начихал... А к четырем он тебя доставит обратно!

И я согласилась.

У Гвидо была шикарная машина, «Альфа-Ромео» ярко-желтого цвета. И мне с ним как-то сразу стало легко. Он не пытался меня кадрить, вел себя как добрый приятель. Мы много смеялись, он показывал мне цветочные магазины, потом отвез на одну ферму, где каких только цветов ни выращивали, но такого потрясения, как в его магазине, я уже не испытывала и на своем ломаном английском попыталась ему это объяснить. Он понял и ласково улыбнулся. О себе он рассказал, что у него была жена, он ее очень любил, но она умерла от болезни сердца. А я рассказывала о себе, о Никите. Он много расспрашивал о Москве, о жизни в Союзе, восторгался Горбачевым, уверял меня, что скоро и у нас жизнь наладится, а когда мы сидели в ресторанчике, где он со смехом учил меня есть спагетти, накручивая их на вилку, что у меня пока плохо получалось, Гвидо вдруг сказал:

— Таня, хочешь поработать немножко в моем магазине?

Мне показалось, что я неправильно его поняла.

— Немного, несколько часов в день, я буду тебе платить, лишние деньги не помешают, правда? Купишь мужу видео, как хотела...

Мысль показалась мне фантастически интересной.

— Я хочу, конечно, хочу, но мы с Раей собирались поехать в Рим, во Флоренцию...

— Таня, ты будешь работать только в те дни, когда можешь! Я ведь не имею права нанять тебя официально, у тебя нет разрешения работать. Но я теперь мечтаю открыть свое дело в Москве, не сейчас конечно, но в будущем... И тогда я возьму тебя к себе в фирму. Или ты сама откроешь цветочный магазин. Тебе ведь нужен какой-то опыт...

Это было захватывающе интересно. Воплощение мечты! Поработать в цветочном магазине, да еще в таком! И заработать денег.

— Я хочу, очень хочу, надо поговорить с Раисой, я ведь тут ничего не знаю...

— Конечно, поговори! Обязательно! И если решишь, приходи завтра к одиннадцати часам!

— А что, Татьянка, идея, по-моему, высший сорт! Я лично одобряю! От такой работы пользы в сто раз больше, чем от туристических восторгов. Может, это твое призвание! Может, и вправду откроешь в Москве кооператив... По-моему, здорово! Да еще башлями разживешься, шмоток накупишь, видео своему старичку...

Мысль привезти Никите видеомагнитофон, хороший, японский, грела меня неописуемо.

— Я завтра пойду с тобой, чтобы этот итальяшка тебя не надул... С ними надо держать ухо востро, хоть он и влюбился. С виду-то итальяшки улыбчивые, симпатяги, но надувают не хуже наших! Между прочим, завтра вечером мы идем в Ла Скала! На «Дон Карлоса»!

И началась моя миланская жизнь! Продавщица по имени Джина оказалась родной сестрой Гвидо. Цветы — их семейный наследственный бизнес, и кроме этого магазина у них было еще несколько не только в Милане, но и в других городах. Но жили они в этом доме, у Джины быда своя маленькая квартира, где она обитала вместе с мужем. Муж тоже работал в этой фирме, но я его ни разу даже не видела. А у Гвидо квартира на верхнем этаже, не такая роскошная, как у Райки, но все же значительно лучше той, в которой Никита жил до развода. Он мне так и не позвонил. Я позвонила сама, но его не оказалось дома. Тогда я в испуге позвонила Наташе, жене Ильи Наумовича, и спросила, все ли с ним в порядке.

— Не волнуйся, Танечка, он целыми днями торчит на студии, там какие-то сложности возникли... А я ему передам, что ты звонила. Он страшно скучает, я знаю! Как там Италия?

Почему-то я не очень ей поверила. Но решила не терзать себя этими мыслями, вот приеду в Москву с видеомагнитофоном...

Гвидо расплачивался со мной за каждый рабочий день, и Райка сказала, что он платит мне по-царски. По вечерам мы таскались по театрам, ресторанам, барам, дискотекам. То вдвоем с Райкой, то втроем с Гвидо. И у меня не оставалось свободной минутки, чтобы грустить. Я научилась упаковывать цветы, не имея раньше даже отдаленного представления об этом. Да и вообще что-то кроме мятого целлофана я видела разве что по телевизору, когда фигуристам вручали за границей потрясающие букеты. А теперь передо мной чего только не было, и сочетать это все с букетом тоже надо было уметь. Иной раз упаковка может изменить все впечатление, я частенько видела на улице ужасно безвкусные букеты в красивой упаковке, и это еще полбеды, хуже было, когда красивый букет упаковывали в какую-нибудь яркую бумагу, которая его убивала... А еще мне страшно нравилось укладывать цветы, чаще всего почему-то розы, в красивые длинные коробки и украшать их каким-нибудь причудливым бантом. Наверное, получить в подарок такую коробку с розами даже интереснее, чем букет. Снимаешь крышку, разворачиваешь тонкую шелковую или кружевную бумагу, а там розы — свежие, чуть влажные...

Ближе к отъезду я пересчитала лиры — вместе с московскими деньгами скопилась весьма приличная для меня сумма.

— Рай, на что тут хватит?

— Кое на что! Первым делом купим видео, а что останется, потратим на шмотье! Только имей в виду, чтобы тебя не прижопили на таможне, придется все вещи помять, сорвать ярлыки, ты ж имеешь право ввезти в Союз покупок только на ту сумму, какую вывезла. Можно подумать, что от твоей лишней юбки рухнет держава!

И мы с Райкой отправились по магазинам. Надо признать, я почти сразу одурела, ничего не могла выбрать. Я еще понимаю, выбрать одно из двух, ну максимум из пяти, но из пятидесяти или даже пятисот — немыслимо! Этому надо еще научиться или же вырасти среди такого изобилия. Но Райка вела себя так, словно она тут родилась! В результате был куплен видеомагнитофон «Шарп», и Райка долго что-то объясняла продавцу, темпераментно воздевая руки, закатывая глаза, выкрикивая «Москва», «Горбачев», «перестройка», и в результате нам было выписано два чека — один на реальную цену магнитофона, а второй на значительно более низкую, для предъявления на нашей таможне.

— Фу, аж употела вся! — смеялась Райка. — Насилу объяснила. Теперь спокойно можешь купить себе шмоток лишних. Хотя разве шмотки бывают лишними, а?

— Но ты же говорила, что можно просто измять...

— А ты своему Никите разве не хочешь еще что-то купить? Рубашку модную или куртку?

— О, правда! — обрадовалась я.

— А еще надо что-то тебе такое найти, чтобы сразу убить его наповал, чтобы он тебя увидел и уже не петюкал, забыл все претензии и обиды, но в то же время не понял, что это дорого стоит. Знаешь, ты ему лучше не рассказывай, что работала в цветочном...

— Почему?

— На всякий случай.

— Нет, я так не могу, я же ничего плохого не делала. Не хочу врать.

— Дело твое, — пожала плечами Райка и купила мне в подарок шикарный брючный костюм из бежевой плащовки.

За два дня до отъезда позвонил Никита. Я так обрадовалась, услышав его голос, что аж задохнулась.

— Ну как ты там, Танюха?

— Ох, и не скажешь даже... Столько всего интересного... Но я ужасно соскучилась, просто сил нет...

— Ты прилетаешь послезавтра, да? Напомни номер рейса.

Я помчалась за билетом, назвала ему номер.

— Скажи, ты еще не все потратила?

— Нет, а что?

— Не могла бы ты купить одно лекарство для Илюшкиного Петьки?

— Конечно, куплю, о чем речь! Говори, как называется, я запишу. Ага, поняла. А без рецепта дадут?

— Дадут. Ну все, до свидания, Танечка!

Когда я положила трубку, у меня на душе заскребли кошки. Мне не понравился, ужасно не понравился его тон. И он не сказал, что скучает, что любит... А если бы чуду-юду не понадобилось лекарство, он и не позвонил бы, так, что ли?

— Танька, ты чего? — заметила мое настроение Райка.

Я объяснила, в чем дело.

— Он просто чувствует свою вину за тот скандал, а признать не может. Ну и ревнует, конечно.

— К кому, интересно знать?

— Не к кому, а к чему! К тому, что ты тут, в Италии, наслаждаешься жизнью, а он там без тебя небось оголодал, грязью зарос.

— Да нет, ты знаешь, он очень аккуратный...

— Но все равно, наверное, ему противно, что молодая жена невесть где, невесть чем занимается. Ничего, как он тебя увидит... Тань, а давай завтра я тебя к своему парикмахеру отведу, сделаем модную стрижку, чтоб уж совсем наповал, а?

— Думаешь, стоит?

— Стоит, стоит, приедешь вся такая европейская, шикарная...

И утром она поволокла меня в парикмахерскую.

А вечером Гвидо повез нас в шикарный ресторан.

— Таня, тебе очень идет новая прическа, хотя ты и так красивая. Но теперь еще лучше стала.

Перед десертом Райка вдруг посмотрела на часы и заявила:

— Извините, но мне надо уйти. Гвидо, я могу тебе доверить Таню?

— Куда это ты? — удивилась я.

— Вернулся маэстро Туччи, велел заехать к нему.

И она быстро ушла, повергнув меня в некоторое смущение. Понятно было, что она все наврала, просто хотела оставить нас наедине.

— Таня, это я попросил Раису уйти. Мне необходимо поговорить с тобой.

— О чем? — испугалась я.

— Таня, я знаю, у тебя есть муж, ты его любишь, все так, но я хочу сделать тебе деловое предложение. Ты не хотела бы приехать сюда на три месяца поработать в фирме, изучить дело? У тебя замечательный вкус, фантазия, но тебе все-таки надо учиться, одного вкуса мало... Не будешь же ты всю жизнь только составлять букеты в магазине. Надо узнать и деловую сторону. Я научу тебя многому, и, может быть, мы еще откроем совместное дело... Но это все планы, а пока... И итальянский выучить не мешает. Кстати, в Москве ведь можно научиться итальянскому?

— Конечно!

— Прекрасно! Поговори с мужем. Если надо, он может тоже приехать на какое-то время...

— Гвидо, не знаю, что и сказать... Это так интересно! Я, конечно, ужасно хотела бы у тебя поработать, поучиться...

— Таня, по-моему, это твое призвание, твой шанс! Сейчас такой момент, все интересуются Россией. У нас может получиться!

— Но меня могут запросто второй раз не выпустить. У нас с этим сложно. А тем более на работу, это же надо как-то официально оформить, чтобы дали рабочую визу...

— Здесь я улажу, не беспокойся. Что касается вашей стороны... Все равно можно попробовать. Если не разрешат, я могу поднять скандал. Перестройка только на словах, и все в таком роде, не хотелось бы, конечно, но если надо...

— Я попробую! Мне хочется, мне очень хочется всему этому научиться... Вот только я не знаю, как муж...

— Приезжай вместе с мужем!

— Гвидо, я не знаю... Не могу обещать...

— Но ты этого хочешь?

— Очень, очень хочу!

— Тогда все получится, потому что я тоже очень, очень этого хочу.

И тут черт дернул меня за язык спросить:

— А почему ты так этого хочешь?

— Потому что я тебя люблю, — очень просто ответил Гвидо и грустно улыбнулся.

— Гвидо!

— Таня, это касается только меня! Не думай, что я... Одним словом, вот... — Он вытащил из кармана свою визитку, где от руки были написаны еще три номера телефона.

— Возьми и спрячь. Когда примешь решение, найди меня по одному из этих телефонов. Или если вдруг я тебе понадоблюсь. В жизни всякое может случиться. А теперь давай на прощание прокатимся по ночному Милану...

Утром Райка рыдала:

— Татьянка, не уезжай!

— Да ладно, Райка, твой маэстро вернулся, тебе сейчас некогда скучать будет, но я, может, еще приеду... Гвидо мне предложил...

— Я в курсе! Между прочим, он тебе гораздо больше подходит, чем твой Никитос.

— Много ты понимаешь!

— Я свое мнение высказываю, только и всего. Ладно, у тебя вещи собраны? Декларацию не потеряла? Чек на видео? Проверь билет, паспорт.

Когда мы спустились вниз, ко мне подбежала Джина с коробкой в руках.

— Гвидо просил тебе передать! Он уехал в Падую. Тут розы!

Мы с ней расцеловались, она меня перекрестила.

Райка озабоченно сказала:

— И куда эти цветы? В Москве на таможне отнимут. Хотя... Если запихать коробку в сумку... Они наверняка вцепятся в видео, а это могут пропустить.

В аэропорту, уже прощаясь, Райка мне шепнула:

— Выглядишь охренительно! Я довольна! Ты не звони, не трать деньги. Я сама тебе звякну. Чао!

Вот и кончился самый веселый период в моей жизни, и, наверное, самый беззаботный. Но не самый счастливый. Потому что без Никиты...

Глава 12
СКАТЕРТЬЮ ДОРОЖКА!

Когда объявили, что самолет приземлился в Москве, я вдруг подумала, если Никита встретит меня с цветами, все у нас будет замечательно. А потом, словно спасаясь от этой мысли: нет, не надо цветов, после Италии они мне могут показаться убогими, лучше без них, тем более что он в цветах ничего не понимает.

На таможне все прошло без сучка, без задоринки. Я сразу сунула таможеннику фальшивый чек на видеомагнитофон, декларацию. Он мельком взглянул на документы и поставил штампик.

— Проходите!

Я тут же увидела Никиту, а он меня еще не заметил. Но вид его мне не понравился. Никаких, конечно, цветов, да и бог с ними. Но он выглядел усталым, измученным даже. Я бросилась к нему:

— Никита!

— А, Танюха! Приехала! Я рад. — Он как-то рассеянно взял мои вещи. — Пошли, я еле пристроил машину! — И быстро пошел вперед, даже не поцеловав меня.

У меня упало сердце. Что же случилось?

Когда мы сели в машину, я не выдержала:

— Никита, что с тобой? Почему ты так... У тебя неприятности?

— Да нет, извини, просто ночь не спал, измучился, да еще изжога... А ты, я смотрю, цветешь! Впрочем, что еще делать в твоем возрасте, только цвести. Ну как Италия?

— Хорошо! Но я так соскучилась!

Он промолчал. Что же это такое? Чем я перед ним провинилась? В машине я не хотела выяснять отношения. Но мне ужасно все это не нравилось.

На светофоре он вдруг потрепал меня по плечу и улыбнулся. Мне стало легче. Наверное, ему и вправду нездоровится...

— Ты какая-то другая стала.

— Прическа новая, Райка меня к своему парикмахеру водила. Тебе нравится?

— Еще не знаю, непривычно как-то.

— Ну а ты как здесь без меня? Не оголодал?

— Да нет, что ты... Много ли мне надо... К тому же у нас неподалеку открылся кооперативный ресторанчик, вполне приличный.

— Между прочим, в Италии макароны всегда немножко недоваренные, — решила я свести все к шутке. — Ни разу не ела таких, как ты любишь. У тебя неправильный вкус.

— О, это правда, вкус у меня самый что ни на есть неправильный!

— Никита, а почему ты даже меня не поцеловал? — не выдержала я. — Говоришь, как с чужой...

— Прости, Танюха, неохота дышать на тебя перегаром, мы вчера изрядно напились с Ильей. Ничего, дома наверстаю...

Наконец мы приехали. Никита достал из багажника мои вещи и только тут обратил внимание на коробку «Шарп».

— Что это такое?

— Тебе подарок! Видео!

— Танюха! Быть не может! Ну ты даешь! Неужели хватило денег? Ну надо же!

— Ты рад, скажи, рад?

— Конечно, рад. Я мечтал о таком... Умница моя!

В доме было чисто, прибрано и даже пахло какой-то едой.

— Натка постаралась, — объяснил он. — Она вообще очень блюла тут твои интересы. Ну-ка, дай я на тебя посмотрю, какая ты стала. Красивая, черт побери!

И тут он меня поцеловал. Перегаром пахло несильно. Поцеловал еще, и еще, потом потянул в спальню. Я обрадовалась. Во-первых, я соскучилась, а во-вторых, в постели мы окончательно помиримся, это уже проверено.

Только часа через два я начала распаковывать вещи. Кроме видеомагнитофона я привезла ему еще две шикарные рубашки, белую и голубую, и светло-серую ветровку.

— Танюха, где ты денег на все набрала?

— Я тебе сейчас все расскажу и покажу!

Я вытащила толстую пачку фотографий.

Он начал внимательно их изучать. Меня даже раздражало, что он так медленно их смотрит.

— И все-таки, откуда деньги?

— Заработала! — с гордостью сказала я.

— Интересно, каким местом!

У меня потекли слезы.

— Как ты можешь? Я работала в цветочном магазине! Составляла букеты. — Я пыталась что-то ему объяснить, с каждым следующим словом все отчетливее понимая, что он мне не верит. — Никита, это правда, это мое призвание... мне предложили, я согласилась, что ж тут плохого? — чуть не рыдала я.

А он снова взял в руки фотографии.

— А кто этот парень?

— Хозяин магазина.

— Так! Очень интересно! И ты полагаешь, что я поверю в такую херню?

— Никита!

— Что Никита? Что Никита? Мало того что ты блядь, ты еще и непроходимая дура! Скрыла бы уж все, молчала бы в тряпочку, нет, подарков навезла, чтобы мозги мне запудрить, мол, я тебя не забывала... Идиотка! Покажи мне кретина, который поверит в эти сказки! Она зашла в магазин, показала свое искусство и тут же получила работу! Бред сивой кобылы! Хотя что-то, вероятно, ты показала, тебе есть что показать! Уж я-то знаю! Что ж вы с подружкой ничего умнее не придумали? Сказала бы ты мне, что это Райка твоя тебе подарила, я бы поверил!

— Как тебе не стыдно? Я же правду говорю! — рыдала я в отчаянии.

— Прекрати реветь!

— Я думала, ты за меня порадуешься, а ты... Ты по себе судишь, что тебе стоит соврать и выдумать любое оправдание — ты же писатель, сам всегда врешь и на других думаешь... — И вдруг слезы у меня высохли. Меня пронзила нехорошая догадка. — А ну, посмотри мне в глаза! Ты сам небось тут по бабам таскался, это тебе стыдно, и ты решил на меня напасть! Так, да? Признайся, я ведь все равно узнаю!

— О да, нападение — лучшая защита! Теперь я во всем виноват! — противно усмехнулся он.

Но мне показалось, что я не так уж далека от истины. Что же это делается? Ведь мы любим друг друга, и вот все рушится! Нельзя, нельзя этого допустить! Надо спасать любовь!

Я набрала воздуху в легкие и сказала:

— Никита, что мы с тобой делаем? Ты не веришь мне, я начинаю не верить тебе... Ну пожалуйста, давай успокоимся, поговорим, неужели мы не сможем понять друг друга? Чем хочешь клянусь, ничего плохого я не делала, честное слово! Ну почему ты мне не веришь? Все так и было! Ты же не удивился, что такой модельер, как твоя Тина Примак, носит мое пончо, так почему ты не веришь, что мой букет мог понравиться хозяину магазина как профессионалу?

В его глазах мелькнуло сомнение и, как мне показалось, надежда. И я бросилась закреплять успех.

— Если хочешь знать, он предложил мне приехать в Милан вместе с мужем на три месяца, чтобы учиться там... Ты ревнуешь меня к нему, но это глупо...

— Послушай, я же не слепой, я вижу на этих фотографиях, как он на тебя смотрит!

— Так это же он смотрит, а не я! Я-то на него никак не смотрю!

— То есть ты признаешь, что он в тебя влюблен?

— Я об этом ничего не знаю! Я в него не влюблена! Я люблю на всем свете только тебя! И больше никого у меня не было! Ну я не знаю, что еще сказать...

— Ладно, ничего не говори, нам обоим надо успокоиться. Вероятно, я действительно схожу с ума от ревности... Знаешь что, я, пожалуй, пойду пройдусь, надо охолонуть немножко.

Он вышел из квартиры.

Мне показалось, что я все-таки победила. Он пройдется, остынет и все поймет. Я даже уверена, что, вернувшись, он станет тем прежним Никитой. Я повеселела. И только тут вспомнила о розах в коробке. Я открыла ее, и на меня пахнуло волшебством, волнующим ароматом цветочного магазина... Наверное, лучше бы выкинуть розы, чтобы не дразнить Никиту. Мне было их безумно жаль, но я собралась с духом, взяла коробку и вышла на лестницу, чтобы выкинуть ее в мусоропровод. Из лифта как раз выходила соседка, жена одного писателя, довольно противная баба, но всегда очень вежливая и вроде бы приветливая.

— О, Танечка, с приездом! Как Италия? Наверняка масса впечатлений, да?

— Да, масса!

— А где вы были, я уж запамятовала? В Риме?

— Нет, в Милане, но в Рим я ездила. И во Флоренцию.

— О, моя мечта — попасть в галерею Уффици! Да, Танечка, я вот что хотела вам сказать... — Она как-то интимно понизила голос. — Конечно, это не мое дело, не расцените мои слова как вмешательство, просто вы еще совсем девочка, а я опытная женщина, и я к вам прекрасно отношусь... Танечка, я считаю, что вы должны быть в курсе, чтобы не оказаться за бортом. В ваше отсутствие Никита Алексеевич... Ну, короче говоря, у него тут постоянно бывала женщина... Одна и та же!

Я застыла, не могла ни пошевелиться, ни сказать хоть что-то. Я не хотела ее слушать, не хотела знать, но...

— Поверьте, Таня, лучше всегда знать правду, тогда можно выстроить линию поведения, — жарко шептала она. — Вы только не расстраивайтесь, просто примите к сведению. Я узнала эту женщину, это Елена Ларина! Она, говорят, все время сейчас ездит в Москву, благо разрешили... И у меня даже создалось впечатление, что она хочет...

— Зая, ты пришла? — раздался голос ее мужа, и открылась дверь квартиры. — Танечка, приветствую! Зая, домой!

Дверь за ними закрылась. А я стояла как столб. Что же делать? Розы я все-таки выбросила. Вернулась в квартиру, опустилась на пуфик в прихожей. Как теперь жить? Ведь это уже не догадки, не подозрения, это уверенность. Он не просто изменял мне с Лариной, он еще водил ее сюда! Меня затошнило. А теперь, видно, мучается, мечется между старой любовью и новой, чувствует, наверное, что я гожусь ему в дочки, и накручивает себя... Но зачем? Боится, что я могу узнать, и первым идет в атаку? Но чего он этим хочет и может добиться? Чтобы я сама от него ушла? Ему с ней лучше? Спокойнее? У них больше общих интересов? А как же я? Нет, я буду бороться за свою любовь, я сделаю все, что от меня зависит... Но разве от меня что-то зависит? Да! Зависит! Я моложе, красивее, наконец, я его жена.

...А что еще? Я люблю его! Но и она его любит. Выходит, мое преимущество лишь в возрасте? Потому что красота тоже вещь относительная, кто-то любит апельсин, а кто-то свиной хрящик... И все-таки, как же мне быть? Смириться? Сделать вид, что я ничего не знаю? Да, наверное, это лучший выход... Буду играть хорошую жену, которая любит мужа и знать ничего не знает. Больше мне пока ничего не остается. А вдруг Зая вообще все наврала? Может, она просто терпеть не может Никиту или меня, вот и решила отравить нам жизнь. Кстати, с нее станется. Недаром, когда мы сюда переехали, Никита меня предупредил, что Зая отвратительная баба. Но ведь она назвала имя! Ну и что? Пол-Москвы знало об их романе. Решено, сегодня я затаюсь, посмотрю, как он себя поведет, а завтра поеду к Наташе и попытаю ее. Может, она скажет, что Лариной вообще в Москве не было. Очень даже может быть! А сейчас я должна взять себя в руки, приготовить ужин, все, как он любит, чтобы он почувствовал, что жена вернулась, любимая молодая жена!

Если надо, я умею все делать одновременно. Я убрала чемоданы, все расставила по местам, накрыла на стол, достала привезенные из Милана деликатесы, которых Райка насовала мне полсумки. И решила запустить стиральную машину. В этой квартире стояла «Эврика». Конечно, после Райкиной машины, в которой достаточно нажать две кнопки и потом вынуть сухое белье, «Эврика» казалась допотопной, но все равно лучше, чем руками стирать. Я открыла корзину с грязным бельем, наверняка Никита набросал сюда рубашек. Действительно, их было штук шесть. И на одной я увидела следы помады. Не моей! Я пересмотрела все рубашки, следы были еще на двух. Так, понятно. И тут же в глаза мне бросилось, что бутылка моего любимого шампуня «Зеленое яблоко» почти пуста, а я точно помнила, что открыла ее перед отъездом. А Никита никогда не моет голову шампунем, только детским мылом. Его так приучила прежняя жена. Я вдруг отчетливо поняла, что это не случайно! Та женщина хочет дать мне понять, что она была в моем доме... Она нарочно оставила эти следы своего пребывания. И наверняка не ограничилась шампунем и рубашками. Я стала искать и, разумеется, нашла! На деревянной расческе в ванной были ее темные волосы... На полу стенного шкафа, где висели пальто, валялась шикарная перчатка из мягкой синей кожи, а в спальне под кроватью заколка для волос, красивая и явно дорогая. Надо же, не пожалела... Я почему-то вспомнила фразу из книжки, которую читала в самолете: «Им овладело холодное бешенство». Вот и мной тоже овладело холодное бешенство. Я собрала все эти свидетельства пребывания Лариной в моем доме, выложила их на стол, даже расческу с волосами, пусть Никита увидит, а я подожду, что он мне теперь скажет. Я не плакала, мне даже не было обидно. Меня трясло от ярости.

Ага, вот и он. Повернулся ключ в замке. Я сидела в кресле, нога на ногу. Он вошел.

— Танюха, я подумал... Что это тут навалено?

Я молчала.

— Почему тут моя рубашка?

И вдруг он покраснел, просто вспыхнул.

— Вот гадина, — пробормотал он.

— Это ты о ком? Обо мне или о ней?

— Где ты это все набрала?

— О, в разных местах! Твоя Леночка позаботилась, чтобы я ни в коем случае не проворонила эти следы... Они были везде. Наверняка есть еще!

— Танька, а ты почему не матюгаешься? — решил он свести все к шутке. — Как-то странно даже, ты всегда в таких случаях ругаешься, как пьяный извозчик...

— Не знаю... Наверное, просто сил нет... Никита, за что ты так со мной? Я же тебя люблю...

— Не могу больше! Не могу больше слышать это слово! Затрахали вы меня своей любовью! Не хочу! Не желаю! Оставьте все меня в покое с вашей любовью! Ненавижу! Ненавижу всех — тебя, ее, всех баб! Вы грязные гнусные твари! Не желаю вас знать!

И, хлопнув что есть силы дверью, он убежал в спальню.

Ну что ж, все более или менее ясно. Я собрала свои вещи, зашла и в спальню за бельем. Никита лежал на кровати, закрыв голову подушкой. Я сложила все в большую сумку, взяла из стола немного денег. Потом опять зашла в спальню.

— Я ухожу. Насовсем.

— Скатертью дорожка!

— Ключи оставлю на столе. И прощай, мать твою!

Я еще добавила крепких выражений, и мне стало немного легче. Он по-прежнему лежал не двигаясь. Когда я вышла из квартиры, там вдруг раздался страшный грохот и громкое проклятие.

Я не испугалась. Я поняла — он разбил видеомагнитофон.

Ну и на здоровье! Я поймала такси и поехала к себе на квартиру. Доставая из сумочки ключи, наткнулась на визитку Гвидо. «Позвони, если я тебе понадоблюсь!»

Эпилог

Дойдя до этого момента, я вдруг глубоко задумалась, что же дальше, как повернуть сюжет? До сих пор все шло само собой, я хорошо знала и то время, и таких людей, а вот жизнь в Италии... Мне было известно только, что моя героиня, вернее, ее прототип, вышла замуж за итальянца, родила дочку, а потом почему-то оставила дочку с ним и все еще находится в поиске... А может, не стоит продолжать? Пусть это будет не история жизни, а история любви. Несчастливой и, конечно неизжитой... Разумеется, все это я придумала, исходя из характера Тани, а я ведь совсем мало общалась с ней. Но у истории этой любви плохой конец, а мои читатели ждут от меня другого. Многие никак не могли простить мне, что в романе «Три полуграции, или Немного о любви в конце тысячелетия» одну из трех героинь я не выдала замуж. Короче, я совершенно не знала, как быть. Позвонила Тане, но никто не ответил. Когда работа у меня не клеится, мне надо пройтись. Лучше всего думается на ходу. Я оделась и пошла гулять. Проходя через скверик, вдруг услышала:

— Ну давай уже, дописывай роман, сколько можно!

Я в изумлении начала озираться. Никого, кто мог бы мне это сказать! Вероятно, свои собственные мысли я приняла за человеческий голос. Пожав плечами, пошла дальше. И опять услыхала:

— Дописывай, дописывай роман!

Нет, это не глюки! А что же? Неужели вопль нетерпеливого читателя? Я уж хотела возгордиться, но никаких читателей не наблюдалось. Только красивый ирландский сеттер бегал по первому снегу, да его хозяйка нетерпеливо перетаптывалась на месте. Значит, все-таки глюки! Но тут же все разъяснилось. Хозяйка сеттера крикнула:

— Ну, дописал? Молодец, Роман! Пошли домой!

От хохота я чуть не свалилась в снег. Вот тебе и нетерпеливые читатели! Но одно я на этой прогулке все же поняла — я должна показать роман Тане. Хотя она вроде дала мне карт-бланш, но все-таки пусть прочитает, может быть, в моем варианте ее жизни что-то ее смутит, может, она все-таки не захочет, чтобы я оставила без изменений ее имя, начало рассказа... Одним словом, мне надо было с ней повидаться, а до тех пор просто отложить рукопись. Что я и сделала, но не прошло и недели, как у меня раздался звонок.

— Здравствуйте, это Таня Шелехова, помните меня?

— Таня, как вы вовремя! — обрадовалась я. И рассказала о своих сомнениях.

— Неужто вы и вправду про меня написали? — безмерно удивилась она. — Я думала, вы пошутили... Ой, господи, как же интересно! Знаете, я купила ваши книги, это кайф! Если вы и про меня так написали... Ну надо же! А когда можно прочитать?

— Да хоть сейчас!

— А вы мне дадите домой? Честное слово, я не замотаю!

Я все-таки замялась, рукопись у меня в одном экземпляре... Она, видимо, поняла мои сомнения.

— А знаете что, я сейчас пришлю за вами машину, приезжайте ко мне в офис, мы снимем ксерокопию, а потом вас обратно отвезут. Заодно и повидаемся!

Разумеется, я согласилась.

За мной приехал «Форд» с весьма любезным шофером. Офис находился на Остоженке, представлял собой маленький, красиво отреставрированный домик в одном из остоженских дворов. Шофер проводил меня до приемной, секретарша сообщила о моем приходе и тут же из кабинета буквально вылетела Таня и кинулась в мои объятия.

— Ой, как я рада вас видеть! Проходите! Хотите чаю, я помню, что кофе вы не пьете! Садитесь, пожалуйста!

Я тоже рада была ее видеть, она мне нравилась, а уж после того, как я столько о ней напридумывала, она и вовсе показалась мне родной и близкой. Папка с рукописью была отдана секретарше, а мы пили чай.

— Ну что нового, Таня? Как дела?

— Знаете, я не хочу тут говорить об этом! Мало ли... Моя личная жизнь табу для сотрудников! Я вот прочитаю вашу книгу и приеду к вам, там и поговорим, если можно, конечно.

— Ну разумеется!

— А вот можно я вас спрошу... Мне показалось, что вы о себе написали «Путешествие оптимистки», да?

— Ну в общем, да... Хотя там тоже многое придумано. Вероятно, что-то мое есть почти во всех моих героинях.

— И во мне? — засмеялась Таня.

— Думаю, да.

Когда секретарша принесла ксерокопию, Таня сказала:

— Как только прочитаю, сразу примчусь! Но сегодня, боюсь, руки не дойдут, дел много, если только ночью...

— Буду ждать вашего звонка, и, признаюсь, с большим нетерпением!

— А уж как мне не терпится с вами поговорить, у меня в жизни важная перемена наметилась...

Тут уж мое писательское и просто женское любопытство еще пуще разгорелось.

...Она позвонила на третий день, и голос ее звенел от нетерпения.

— Можно я прямо сейчас приеду?

— Конечно, жду вас!

Она появилась часа через полтора с фантастической корзиной цветов. Мы расцеловались.

— Таня, я жду приговора!

— Да какой там приговор! Мне так понравилось! В жизни ничего интереснее не читала, хотя чего удивляться, я и вправду никогда еще про себя не читала! Но откуда вы знаете какие-то вещи, я же вам не говорила? Или вы знакомы с Никитой?

— Нет.

— Значит, просто интуиция? Или все бабы похожи? Хотя нет... Но вы столько угадали... Правда, я у вас лучше, куда лучше, чем на самом деле. Более гордая, более умная... Да и вообще... Но все равно здорово! Это все-таки я... И знаете, что самое смешное? Я точно помню, что не говорила вам про это. Зина и вправду, когда увидела Никиту, сказала: «Нашла себе блондина!» Я когда прочитала, думала умру! Бывает же такое! Да и вообще... Вот и с Никитой... Именно так все и кончилось... разругались в пух и прах, даже чуть не подрались... И подарок я ему привезла, только не видак, а видеокамеру... И он ее расколошматил... Поразительно... Ну и еще, он не сценарист, он архитектор... И прожили мы не год, а два с половиной. А дочка его и вправду замуж за иностранца вышла, и мы с ней подружились заново, это к ней я в Италию поехала. Не к Райке... А Райка не стала певицей, она вышла замуж за еврея, родила пятерых детей и живет в Израиле. Но это же мелочи, ерунда! А главное... Главное правильно! Это все равно получилась книга про меня, и даже хорошо, что там многое придумано!

— Таня, а что же было дальше?

— Дальше? Дальше была жизнь... Трудная, со всячинкой, иногда кошмарная, ну как у всех, наверное... Я вышла замуж за Гвидо, хотя на самом деле его зовут Джузеппе... Родила ему дочку, а потом бросила его, не могла с ним жить, не любила... А он дочку не отдал, отсудил. Но разрешает мне с ней видеться, не ограничивает. Ей у него хорошо. Он больше не женился, дочку его сестра воспитывает, она прекрасная женщина. А мне пришлось вернуться в Россию, устраивать тут свой бизнес... Джузеппе, кстати, мне сильно помог... В общем, помотало меня! И мужиков много было... Я все думала: выйду замуж, рожу себе еще ребеночка, чтобы у него была полная нормальная семья, но, видно, не судьба... И замуж не брали, и родить не получилось, я ведь уж хотела сама, без мужа... И тоже не вышло. А теперь...

Она вдруг просияла, ее немного жесткое лицо стало вдруг таким счастливым...

— Знаете, теперь у меня все хорошо, тьфу, тьфу, тьфу, чтоб не сглазить. Совершенно случайно встретила Никиту во Франкфурте, в аэропорту... Оказалось, что мы летим в Москву одним рейсом и даже места у нас были рядом! Три часа нам некуда было друг от друга деться, и мы выяснили отношения... И вдруг поняла, что за всю жизнь только его и любила... И он тоже... Вот так! Он живет в Бельгии, работает там очень успешно. Вы не думайте, что он старый для меня! Ему пятьдесят восемь, он с годами еще лучше стал, ему седина идет, он подтянутый, спортивный, даже и не скажешь, что русский. Очень европейского вида мужик! И мне с ним так хорошо, как будто и не было всех этих лет. Теперь он хочет купить в Москве квартиру. А баба у него тогда и вправду киноактриса была... Ой, вы так много угадали! А главное — что я его по-настоящему любила. Вот вошла в лифт — и встретила любовь всей жизни...

— Нашли себе блондина? Знаете что, а ведь это хорошее название для книги: «Нашла себе блондина!»

Литературно-художественное издание

Екатерина Николаевна Вильмонт

НАШЛА СЕБЕ БЛОНДИНА!

Редактор *И. Н. Архарова*
Технический редактор *Т. П. Тимошина*
Корректор *И. Н. Мокина*

ООО «Издательство Астрель»
129085, г. Москва, пр-д Ольминского, д. 3А

ООО «Издательство АСТ»
141100, РФ, Московская обл., г. Щелково,
ул. Заречная, д. 96

Наши электронные адреса:
www.ast.ru
E-mail: astpub@aha.ru

Отпечатано с готовых файлов заказчика
в ОАО «ИПК «Ульяновский Дом печати»
432980, г. Ульяновск, ул. Гончарова, 14